Grammaire
contrastive

FOR ENGLISH SPEAKERS

MARCELLA DI GIURA – RICHARD HUW THOMAS
ANURADHA WAGLÉ

DIRECTEUR D'OUVRAGE : JEAN-CLAUDE BEACCO
PROFESSEUR, UNIVERSITÉ PARIS 3 - SORBONNE NOUVELLE

Direction éditoriale : Béatrice Rego
Édition : Virginie Poitrasson
Mise en page : Christine Paquereau
Couverture : Miz'en pages/ Dagmar Stahringer
Marketing : Thierry Lucas
Enregistrement : Vincent Bund

© CLE International / SEJER – 2015
ISBN : 9782090380217

FOREWORD

This is not just another French grammar book. This book has been specifically designed for English speakers wanting to learn French and uses the differences and similarities between the two languages to help you learn better.

Organisation

* The book contains **80 grammar sheets**, each of which deals with a single topic of French grammar.
* The book focuses on the characteristics of the French language, the formation of words (*morphologie*) and the ways in which they combine to form sentences (*syntaxe*).
* The grammar sheets tackle grammar at levels A1 and A2 as defined in the *Common European Framework of Reference for Languages and the Niveaux de référence pour le français* (A1 and A2, Chapter 5). These European references specify the Framework for languages and give clear and firm indications regarding the forms of French that should be taught at these levels.
* The grammar sheets have been written in a graded order from level A1 to A2 and they become increasingly detailed as the book progresses. If you are using the book for individual study we recommend that you follow the order of the files.
* The index allows you to find a specific grammar sheet as and when required.

Content

* We have used English for grammar explanations, instructions and some of the exercises.
* We have included language topics, such as the conjugation of verbs and spelling rules that present difficulties for learners in general. However, the book focuses on those elements of French that are particularly difficult for English speakers and lead to frequent mistakes that are hard to correct.
* The grammar descriptions are simple. We have avoided using too many technical terms; those used are listed in the grammar glossary. Grammar terms used in the grammar sheets are always illustrated with the help of several examples.

Learning approach

* We have incorporated a large number of activities that place French and English in parallel. This approach highlights the differences as well as also the similarities between the two languages. These comparative and contrastive approaches have been used by teachers for a long time but they have been generally absent in most textbooks. The activities in this book have been specially developed based on the many years of experience of teachers teaching French in an English-speaking context. They have been created by a team of authors with French or English as their native language.

Exercises

* As you might expect, the book contains a wide range of exercises. These exercises are varied and also include several translation exercises that involve a number of skills necessary for using a language. We have included commonly used sentences in everyday spoken French that are found in real life situations and we have used vocabulary appropriate for levels A1 and A2. These exercises also cover the spelling of grammatical terms and the phonetics of grammar, such as elision, liaison or word combination.
* In the second part, the exercises become more advanced and have a greater emphasis on communication. In each chapter, the exercises appear in a logical order from simple to complex. Generally, the first few exercises reinforce comprehension of the grammar rule presented and are aimed at recognizing correctly-formed phrases. The next level of exercises involves understanding sentences or joining two phrases to make sentences. The final exercises for each grammar sheet involve transforming or creating French sentences.
* The grammar sheets are supplemented by an audio CD, two assessment tests, conjugation tables, a grammatical terminology glossary and a phonetic table. The answers to the exercises and the transcriptions of the audio CD are in a booklet provided with the book.
* It would be unrealistic to expect miracles from grammar explanations alone. But we know that they do help learners to understand the working of languages and, in the long run, support learning. Language learning requires patience: we recommend that you memorize the examples, tables, remarks and do the exercises carefully. This book cannot replace reading or listening to French in a classroom, on the internet or on television, but exposure to the language coupled with the grammar exercises in this book can definitely help you progress.

Bonne route vers le français !

SOMMAIRE

SOMMAIRE

Je parle et tu écoutes
I speak and you listen

- Just as in English, the personal pronouns in French *je, tu, il/elle, nous, vous, ils/elles* are written or spoken before the verb.

Personal pronouns	Written forms	Spoken forms
1st person singular	Je (I)	[ʒə]
2nd person singular	Tu (You)	[ty]
3rd person singular	Il/Elle (He/She)	[il/ɛl]
1st person plural	Nous (We)	[nu]
2nd person plural	Vous (You)	[vu]
3rd person plural	Ils/Elles (They)	[il/ɛl]

Tu parles français ? – Oui, un petit peu. (Do you speak French? – Yes, a little.)

- In French there is a distinction between *tu* and *vous* (*vs* you).

- The third person forms (singular and plural) are the only ones to have different written forms marking singular and plural as well as masculine and feminine. There are two spoken forms [il/ɛl] and four written forms.

⚠ Notice that *je* becomes *j'* before a vowel or *h (elision)*:

  J'adore le rugby ! (I love rugby.) / *J'habite à New York.* (I live in New York.)

- French verbs ending in *-er* in the infinitive, such as *parler* (to speak) or *chanter* (to sing) usually use **one stem**, in these cases *parl-* or *chant-*. In the present indicative the verb endings are as follows:

	Parler (written forms)	[paʀle] (spoken forms)
1st person singular	Je parl-e	[paʀl]
2nd person singular	Tu parl-es	[paʀl]
3rd person singular	Il/Elle parl-e	[paʀl]
1st person plural	Nous parl-ons	[paʀlɔ̃]
2nd person plural	Vous parl-ez	[paʀle]
3rd person plural	Ils/Elles parl-ent	[paʀl]

- As shown in the table above, the verb endings -e, -es and -ent are not pronounced whereas the endings *-ons* [ɔ̃] and *-ez* [e] are pronounced. So there are five verb forms in written French but only three in the spoken language.

1 Use the correct subject pronoun for the information given in brackets.

*Exemple : Il travaille tout le temps. (mes collègues et moi) → **Nous travaillons** tout le temps.*

1. Elles rentrent tôt ce soir. *(Max)* → ....
2. Tu arrives par le train de huit heures ? *(Théo et moi)* → ....
3. Ils parlent trop ! *(Paola et toi)* → ....
4. J'achète le journal tous les jours. *(Flora)* → ....
5. Elle écoute de la musique pop. *(Alban)* → ....
6. Je reste à la maison aujourd'hui. *(Damien et Julie)* → ....

2 Write the correct verb form in the present indicative tense to match the person indicated.

*Exemple : (regarder, nous) rarement la télé. → **Nous regardons** rarement la télé.*

1. *(trouver,* je) Alain sympathique. → ....
2. *(fêter,* ils) leur anniversaire de mariage dimanche. → ....
3. *(rentrer,* elle) du travail vers 19 heures. → ....
4. *(rester,* vous) là ! D'accord ? → ....
5. *(insister,* tu) trop et tu as tort ! → ....
6. Et maintenant, *(inviter,* nous) les participants à poser des questions.

→ ....

3 Complete with the subject pronoun.

*Exemple : ... accompagnes maman à la pharmacie ? → **Tu** accompagnes maman à la pharmacie ?*

1. .... utilisez trop souvent la voiture !
2. Samedi soir, ... invite tous mes copains chez moi.
3. Est-ce que .... aimes la tarte au citron ?
4. .... s'appelle Catherine, comme Catherine Deneuve !
5. .... demandons simplement un peu de temps !
6. Frank ? .... cherche du travail dans l'hôtellerie.

4 Listen and complete the verbs with the correct ending.

Exemple : Son fils parl... cinq langues ! → Son fils parle cinq langues !

1. Tu me montr... tes photos du Québec ?
2. Nos voisins pens... partir en province.
3. Nous appel... le service après-vente immédiatement.
4. « Viva » propos... un abonnement très intéressant.
5. Les profs de langues accompagn................. les classes en voyage scolaire, à Strasbourg !
6. Vraiment ! Je trouv................................... que vous exagér...................................

5 Translate the following sentences into French using the indications.

1. Mr and Mrs Smith, do you live in Liverpool? → ....
2. Eva speaks French. *(français)* → ....
3. I phone immediately. *(tout de suite)* → ....
4. We think of you. *(à vous)* → ....
5. Are you staying here, sir? *(ici)* → ....
6. They are looking for rue René Cassin. *(la rue)* → ....

On se tutoie ?

Shall we use 'tu'?

- In French, *tu* is used to address people informally and *vous* is used for formal conversations or for talking to people who you don't know well or who are seen as having a higher status. This is different to English, which has no such marker in standard speech:

    Alors ? Tu viens manger ? **(for example, a wife talking to her husband)**
    Vous désirez autre chose, madame ? **(a sales assistant talking to a client)**

- If you are in doubt (for example in a formal situation or if you don't know the person you are talking to) it is better to use *vous*.

Talking to someone you don't know who is of higher status	Talking to someone you don't know	Talking to someone you know who is of higher status	Talking to someone you know of equal status
Vous	**Vous** *Vous descendez ?* (adult to adult in the metro) (Are you getting off ?)	**Vous** (**tu** is possible) *Vous avez les dossiers ?* (adult at work to her manager) (Do you have the files?)	**Tu**

When using *vous* to address a single person the verb used is the 2nd person plural (*vous avez*) but the other agreements (with adjectives, participles, etc) are singular.

> *Vous êtes prête, madame ?* **(Are you ready, Madame?)**

- In French, younger people generally use *tu* with each other, whereas adults more frequently use *vous*:

    C'est quoi, ton prénom ? or *Quel est ton prénom ?* **(What's your name?)**

 Underline *vous* used for politeness and not as a plural.

Exemples : Bonjour, **mademoiselle**. <u>**Vous**</u> êtes française ?
       Clara, Louis, vous êtes prêts ?

1. Qu'est-ce que vous lisez en ce moment, Emmanuel ?

2. Tu as quatre frères ? Ah, vous êtes une famille nombreuse !

3. Moi, je suis de Tours. Et vous, Loïc, vous êtes d'où ?

4. Et maintenant, chers téléspectateurs, vous allez participer à notre jeu !

5. Non, monsieur, vous vous trompez d'étage. Madame Lelouch habite au deuxième.

6. Vous avez fait un faux numéro, monsieur !

2 Complete with either *tu* or *vous* depending on the sentence.

*Exemple : Jean, tu es là ? ... m'aides, s'il te plaît ? → Jean tu es là ? **Tu** m'aides, s'il te plaît ?*

1. Bonjour, madame Delord. ...... arrivez de Nice ?
2. Salut, Raphaël ! ...... rentres du travail ?
3. Monsieur Guigou, ... patientez, s'il vous plaît. Le docteur n'est pas encore là.
4. Allö, Théo ? ...... téléphones d'où ?
5. Madame, s'il vous plaît, ... pouvez épeler votre nom ?
6. ...... parles japonais ?

3 Change the sentence as if you were speaking to the person in brackets.

Exemple : Vous arrivez de Lima par le vol AF72 ? (à un jeune passager de votre âge)
*→ **Tu arrives** de Lima par le vol AF72 ?*

1. Monsieur, vous cherchez quelqu'un ? *(à Claire, la petite fille de votre voisine)* → ....
....
2. Moussa, tu rentres quand de vacances ? *(à monsieur Rolland, le gardien de votre immeuble)*
→ ....
3. Madame, vous parlez plus fort, s'il vous plaît ? *(à Quentin, votre cousin / s'il te plaît)* → ....
....
4. William, tu restes en France longtemps ? *(à mademoiselle Buch, stagiaire)* → ....
....
5. Vous louez une voiture, Monsieur Adanson ? *(à Fabrice, votre ami)* → ....
....

4 Person A is asking Person B to do something. Make sentences using the words in the grid below.
Add *s'il vous plaît* or *s'il te plaît* at the end.

Exemple : Madame Gautherot demande à son fils Louis de fermer la fenêtre.
*→ **Louis, tu fermes la fenêtre, s'il te plaît ?***

Personne A		Personne B	
1. Madame Gautherot 2. Vanessa 3. Serge 4. Monsieur Rey 5. Monsieur Galtier, fleuriste 6. Bill	demande à	• son fils, Louis • M. Dution, son professeur • sa sœur, Emma • mademoiselle Riberol, sa secrétaire • un automobiliste • son camarade français, Sacha	• de fermer la fenêtre. • de répéter la dernière phrase. • d'acheter du Nutella. (tu achètes/ vous achetez) • de fixer un rendez-vous avec le docteur Binet. • de garer la voiture plus loin. (ta voiture/votre voiture). • de parler moins vite.

5 Translate these sentences into French. Use the dictionary if necessary.

1. Laurent, are you looking for something? *(quelque chose)* → ....
2. Madame Mony, are you staying for another day? *(encore un jour)* → ....
3. Excuse me, do you speak German? *(allemand)* → ....
4. Chloé and Martin, are you visiting the cathedral today? *(la cathédrale, aujourd'hui)* → ....
5. Hello Monsieur Dupuis, what would you like? *(bonjour, qu'est-ce que)* → ....
6. Benjamin, at what time are you coming home? *(à quelle heure)* → ....

J'ai faim !
I am hungry!

● Just as in English the most common French verbs are often the most irregular: consider 'to be', 'to go' and 'to have'. Here is the indicative present of the verb *avoir* (to have) in French. It has six written forms and five spoken forms.

Avoir [avwaʀ]	written form	spoken form
1st person singular	*J'ai* (**I have**)	[ʒə]
2nd person singular	*Tu as* (**you (singular informal) have**)	[tya]
3rd person singular	*Il a, elle a* (**he has, she has**)	[ila, ɛla]
1st person plural	*Nous avons* (**we have**)	[nuzavɔ̃]
2nd person plural	*Vous avez* (**you (plural or formal) have**)	[vuzave]
3rd person plural	*Ils ont, elles ont* (**they have**)	[ilzɔ̃, ɛlzɔ̃]

● *Je → j' (= élision): J'ai*

 The plural forms all use *liaison* in their spoken form:
> *nous_avons* [nuzavɔ̃]
> *vous_avez* [vuzave]
> *ils_ont* [ilzɔ̃], *elles_ont* [ɛlzɔ̃]

● *Avoir* is usually used as a verb showing possession:
> *Tu as une voiture ? – Non, j'ai une moto.* (**Have you got a car? – No, I've got a motorbike.**)

● *Avoir* is also used as an auxiliary verb to form the perfect and imperfect tenses:
> *J'ai dansé, j'avais dansé...* (**I (have) danced, I had danced...**)

● French sometimes uses *avoir* where English uses 'to be'. This is the case for **age** and for some **feelings** (eg, *chaud* (hot), *froid* (cold), *faim* (hungry), *soif* (thirsty), *sommeil* (sleepy)).
> *Elle a trente ans.* (**She is thirty years old.**)
> *Nous avons froid.* (**We are cold.**)
> *Tu as sommeil ?* (**Are you sleepy?**)
> *J'ai soif !* (**I'm thirsty!**)

● *Avoir* is also used for saying where it hurts or where you have a pain:
> *Il a mal à la gorge !* (**His throat hurts!**)

1 Write the correct verb form of *avoir* in the present indicative tense using the person indicated in brackets.

Exemple : Il a trois enfants, deux filles et un garçon. (nous)
→ ***Nous avons** trois enfants, deux filles et un garçon.*

1. *Il a* peur du noir. Eh oui ! *(je)* → ....
2. *Nous avons* une voiture électrique, une japonaise ! *(elle)* → ....
3. *Nous avons* beaucoup de choses à faire aujourd'hui ! *(je)* → ....
4. *Ils ont* une boulangerie rue de Constantine. *(nous)* → ....
5. *J'ai* un train à dix heures dix. *(il)* → ....
6. *Tu as* mal à la tête ? J'ai de l'aspirine. *(vous)* → ....

2 Complete with the correct present indicative form of the verb *avoir*.

*Exemple : Tu ... une super cravate aujourd'hui ! → Tu **as** une super cravate aujourd'hui !*

1. J' .... une belle maison, au bord de la mer !
2. Vous .... un euro, s'il vous plaît ?
3. Les Sansault .... un appartement sur deux étages, un duplex, comme on dit.
4. Gwenaëlle .... un examen demain.
5. Tu .... une moto, maintenant ?
6. Nous .... sommeil !

3 Complete the following sentences as shown.

*Exemple : Est-ce que ... l'adresse de Bernard ? (tu) → Est-ce que **tu as** l'adresse de Bernard ?*

1. .... l'air en forme ! *(vous)*
2. .... du jus d'orange ? *(tu)*
3. .... un restaurant en Bretagne. *(il)*
4. .... déjà les billets pour le spectacle. *(ils)*
5. .... des choses à te dire ! *(je)*
6. .... raison. *(elle)*

4 Listen and complete the answers.

Exemple : – ...... quel âge, Laurent ? – ...... cinq ans, madame.
→ *– **Tu as** quel âge, Laurent ? – **J'ai** cinq ans, madame.*

1. – Jules, ... encore du travail ? – Oui, ... encore du travail.
2. – Ludivine a une bronchite ! – C'est vrai, ... une bronchite ? Et depuis quand ?
3. – .... des amis à la maison ? – Oui, oui, nos amis de Toulouse.
4. – .... encore du retard ! – C'est toujours comme ça.
5. – ...... une idée ! Nous allons à Deauville dimanche ! – ...... toujours des idées géniales.
6. – Dis, ... un bon médecin ? – Oui, ... son numéro sur mon portable.

5 Write possible questions to the following answers as in the example.

*Exemple : Oui, nous avons l'adresse de Luc. → **Vous avez l'adresse de Luc ?***

1. Oui, oui, Anne-Charlotte a un chat. → ....
2. J'ai un balcon avec des plantes. → ....
3. Oui, bien sûr, Julien a son permis de conduire. → ....
4. Nous avons une réunion demain. → ....
5. Philippe et Barbara ont deux enfants. → ....
6. Aujourd'hui, oui, vous avez des rendez-vous, Monsieur. Trois précisément. → ....

Je suis content !

I am happy!

- The verb *être* (to be) has several forms, as does the verb 'to be' in English. There are five spoken forms and six written forms for the present indicative.

Être [ɛtʀ]	
written form	**spoken form**
Je suis	[ʒəsɥi]
Tu es	[tyɛ]
Il est, elle est	[ilɛ/ɛlɛ]
Nous sommes	[nusɔm]
Vous êtes	[vuzɛt]
Ils sont, elles sont	[ilsɔ̃/ɛlsɔ̃]

- The verb *être* is used in a similar way to the English *to be*:

  Je suis fatigué. (I'm tired.)

- It is used as an auxiliary verb along with some verbs to form the perfect tense (*passé composé*):

  Je suis né(e) au Pays de Galles. (I was born in Wales.)

- It is commonly used followed by an adjective or a noun and serves to describe, present or identify:

  – with an adjective used to describe:

  Je suis grand maintenant ! (I'm grown-up now!)

  – with a noun used to present:

  Lui, c'est mon ami Paul. (He is my friend Paul.)

  – with a noun used to identify:

  Sa mère est infirmière. (His mother is a nurse.)

- It can also be used in locutions or phrases, such as:

  Être dans : Vous êtes dans le commerce ? (Do you work in business?)

  Être pour : Tu es pour l'écologie ? (Are you in favour of ecology?)

1 Choose the correct answers.

Au présent, pour le verbe *être* :
à l'écrit, il y a   6 formes ☐   4 formes ☐   3 formes ☐
à l'oral, il y a   6 formes ☐   5 formes ☐   4 formes ☐

2 Listen and choose the correct sound of the verb *être* for each sentence.
Exemple : Tu es Julie ? → [ɛ]

	[ɛ]	[sɔm]	[sɔ̃]	[ɛt]
1. Mais ils *sont* où, tes gants ?	☐	☐	☐	☐
2. Nous *sommes* contents de vous connaître.	☐	☐	☐	☐
3. Tu *es* là dans l'après-midi ?	☐	☐	☐	☐
4. Ce gâteau *est* vraiment très bon !	☐	☐	☐	☐
5. Hugo *est* en retard. Bizarre !	☐	☐	☐	☐
6. Merci, vous *êtes* très gentil, mon garçon.	☐	☐	☐	☐

3 Make six sentences by matching the words in the grid below.
*Exemple : **Tout le monde est d'accord.***

Je		en forme
Tout le monde (3ᵉ p. du sing.)	être, *au présent*	en retard
Vous		d'accord

4 Complete with the correct form of the verb *être* in the present tense.
*Exemple : Nous … très contents de vous voir. → Nous **sommes** très contents de vous voir.*

1. Ils .... en vacances, à Salvador, eux !
2. Monsieur Nizard, vous .... où ? Devant la porte ?
3. Je .... Yannick, Yannick Vidal.
4. Elle .... encore au lycée.
5. Tu .... belge ? D'où ?
6. Nous .... étudiants en médecine.
7. Elles .... sympathiques, tes amies !
8. Vous .... bien au 01 40 22 06 93, chez Sonia et Aurélien.
Nous .... momentanément absents.

5 Translate these sentences into French using the words in brackets to help you.

1. Harry is English. *(anglais)* → ....
2. The bananas are expensive. *(banane f., cher/chère)* → ....
3. That city is very modern. *(ville f., très moderne)* → ....
4. The exam is tomorrow. I'm very nervous. *(très nerveux)* → ....
5. We are to the north of Grenoble on the motorway. *(nord m., sur, autoroute f.)* → ....
6. The meeting is on Monday at 3pm. *(réunion f., mardi, à quinze heures)* → ....

Le soleil et la lune
The sun and the moon

- In French, there are the indefinitive article (<u>a</u> book) and the definite article (<u>the</u> book), just as in English.

  Où est le livre de cuisine ? (**Where is the cookbook?**)
  Je cherche un livre sur les Vikings. (**I'm looking for a book on the Vikings.**)

- In French all nouns have a gender: either masculine or feminine. The definite article also shows the gender of the noun.

FORMS

- The definite article has four forms, *le, la, l'* and *les*. You use *le* for masculine nouns and *la* for feminine. For plural nouns you use the form *les*; this is the same whether the singular form of the noun is masculine or feminine.

	Singular		Plural	
	Before a consonant	**Before a vowel or *h***	**Before a consonant**	**Before a vowel or *h***
Masculine	le [lə] *le train*	l' [l] *l'homme*	les [le] *les trains*	les [lez] *les articles* *les hommes*
Feminine	la [la] *la banque*	l' [l] *l'adresse*	*les banques*	*les adresses*

- Before a vowel or *h*, the forms *le/la* change into *l'*: *l'avion, l'orange*. This is called *élision*.

- The plural form *les*, before a vowel or *h*, is pronounced with the *liaison*: *les_enfants* [lezãfã], *les_hommes* [lezɔm]

 However, some words that start with *h* use neither *liaison* nor *élision* with the definite article: *le hasard, le hall, la hauteur, la Hollande...*

  - The definite articles *le* and *les* combines with the prepositions *à* or *de* :

  à + le → *au* [o] ; *à + les* → *aux* [o]
  de + le → *du* [dy] ; *de + les* → *des* [de]

    Il va au stade le dimanche. (**He goes to the stadium on Sundays.**)
    Je téléphone souvent aux amis. (**I often phone my friends.**)
    Le prix du pain augmente encore. (**The price of bread is going up again.**)
    La couleur des arbres est magnifique en septembre. (**The colour of the trees is magnificent in September.**)

 However the article does not combine before *la* or *l'*: *à la mer/de la mer* (to the sea/of the sea); *à l'enfant/de l'enfant* (to the child/of the child).

1 Listen and underline the words with the sound *e* [ə], such as *le* [lə].

Exemple : *Le temps change demain !* → *L**e** temps change d**e**main !*

1. Le frère de Régis est militaire.

2. Tu vas chercher le colis à la Poste ?

3. Les amandiers fleurissent avant le printemps.

4. Je prends le train demain, à midi.

5. Les touristes visitent d'abord le musée archéologique, puis la cathédrale.

6. Le centre-ville est presque vide en juillet.

 2 Listen and complete with *le* [lə] or *les* [le], as appropriate.

Exemple : ... *vélo* → *le vélo*

1. .... villes

2. .... vent

3. .... pays

4. .... garçons

5. .... cours

6. .... ciel

7. .... journaux

8. .... prix

3 Choose the correct article: *le, la* or *les*. Use the apostrophe when necessary.

Exemple : ... *nouvel ordinateur est déjà en panne !* → *Le nouvel ordinateur est déjà en panne !*

1. .... amie de Suzanne s'appelle Pauline.

2. Tu fais .... comptes du mois ?

3. .... appartement de Lino est au troisième étage.

4. .... fruits sont chers, cette année !

5. .... parfum du jardin entre dans la maison.

6. Monsieur, s'il vous plaît, où est .... farine ?

 4 Listen and complete with the correct article: *le, la* or *les*. Then read aloud and pay attention to the pronunciation!

Exemple : ... *Hollandais sont producteurs et exportateurs de légumes.*
→ *Les Hollandais sont producteurs et exportateurs de légumes.*

1. .... huit et .... quinze sont les numéros gagnants !

2. Nous attendons dans .... hall, d'accord ?

3. Petit Louis déteste .... haricots, c'est un enfant !

4. .... haine est un sentiment terrible.

5. Parfois .... hasard fait bien les choses !

6. .... héros d'un pays font partie de .... mémoire collective.

5 Complete with *le, la, les* or *du, de la, de l' des* according to the sentence.

Exemple : *Nous avons ... invités ce soir.* → *Nous avons des invités ce soir.*

1. C'est .... collègue de Claire, elle est de Marseille.

2. Tu as .... numéro de téléphone .... agence Orients ?

3. J'appelle .... serrurier pour la porte d'entrée, tout de suite.

4. Parmi .... spécialités .... pays .... Nord .... Europe, il y a .... hareng.

5. .... nouveau traité de coopération .... Union Européenne entre en vigueur en janvier.

6. .... fille .... directeur travaille en Afrique, dans l'import-export.

Bonne nouvelle !

Good news!

- Unlike in English, adjectives generally change their endings depending on the gender (masculine or feminine) and the number (singular or plural):

  J'ai rencontré un peintre intéressant. (**I met an interesting painter.**)
  Vous avez vu une exposition intéressante à Genève ? (**Did you see an interesting exhibition in Geneva?**)

HOW TO FORM THE FEMININE?

As a general rule:

- for the written feminine form of the adjective, you add an *-e* to the end of the masculine form.

- for the spoken form you pronounce the final consonant (if any) of the masculine form :

  Il est prêt [pʀɛ] *à partir.* (**He is ready to leave.**)
  Elle est prête [pʀɛt] *à partir.* (**She is ready to leave.**)

ADJECTIVES WITH ONE SPOKEN FORM

- For some adjectives the addition of an *-e* to the masculine form does not change the spoken form:

  joli / jolie [ʒoli], *gai / gaie* [gɛ], *adoré / adorée* [adɔʀe], *poli / polie* [poli]

- Sometimes there are further changes to the feminine written form but without any difference in the pronunciation:

  exceptionnel / exceptionnelle [ɛksɛpsiɔnɛl], *cher / chère* [ʃɛʀ], *public / publique* [pyblik]

ADJECTIVES WITH ONE WRITTEN FORM

- Some adjectives have just one form for the singular masculine and feminine forms: *utile, riche, magnifique, calme, facile, jeune...*

- Certain adjectives describing colour or some adverbs used as adjectives are invariable: *une veste orange, une table marron, une personne bien...*

OTHER CASES

- The changes made to the feminine written form also changes the pronunciation as in the following examples:

  - the final consonant is pronounced.

    Quand j'étais petit... [pəti]: the final *t* is silent. (**When I was young...**)
    J'ai une petite [pətit] *amie.*: the final *t* is pronounced. (**I have a girlfriend.**)

  - the final consonant changes pronunciation: *f → v neuf* [f] / *neuve* [v]

  - the pronunciation of the vowel and the spelling both change.

    bon [bɔ̃] / *bonne* [bɔn], *long* [lɔ̃] / *longue* [lɔ̃g]

- Some important adjectives are irregular: *beau(x)/belle(s)* (handsome/pretty), *nouveau(x)/ nouvelle(s)* (new), *vieux/vieille(s)* (old).

  Les nouvelles recherches sur le cancer sont encourageantes. (**The latest cancer research is encouraging.**)

1 Listen and write the adjective in the masculine form.

Exemple : mince → **mince**
              intelligente → **intelligent**

Féminin	Masculin	Féminin	Masculin
1. bonne →	....	**5.** ancienne →	....
2. vraie →	....	**6.** portoricaine →	....
3. légère →	....	**7.** facile →	....
4. lourde →	....	**8.** moyenne →	....

2 Listen and read this conversation between two friends; then tick the box with the sound you hear; either a nasal sound or a non-nasal sound.

Exemple : C'est une bonne nouvelle ! → [ɔn]

Élise : Ta nouvelle collègue est *italienne* ?	[ɛn] ☐	[ɛ̃] ☐
Marina : Pas du tout, c'est son mari qui est *italien*.	[ɛ̃] ☐	[ɛn] ☐
Élise : Ah, *bon* ! Et vous vous entendez bien ?	[ɔn] ☐	[ɔ̃] ☐
Marina : Oui, très bien. C'est une *bonne* amie, en plus !	[ɔn] ☐	[ɔ̃] ☐
Élise : Tu en as de la chance ! Moi, au travail, avec mes collègues, c'est vraiment très *moyen* !	[ɛ̃] ☐	[ɛn] ☐

3 Write the feminine forms of the adjectives below and tick the final sound of the spoken form.

Exemple : heureux → **heureuse** [z]

	[t]	[d]	[z]		[t]	[d]	[z]
1. gris ...	☐	☐	☐	**4.** rond ...	☐	☐	☐
2. petit ...	☐	☐	☐	**5.** plat ...	☐	☐	☐
3. envieux ...	☐	☐	☐	**6.** blond ...	☐	☐	☐

4 Complete the sentences with the correct form of the adjective in brackets.

Exemple : Il y a une ... faute dans ta dictée. (gros) → Il y a **une grosse faute** dans ta dictée.

1. Je mets la veste .... ou l'autre ? *(bleu)*

2. Ils ne lisent que la presse .... *(sportif)*

3. Arthur a une .... sœur qui travaille déjà. *(grand)*

4. On a une .... machine à café électrique. *(nouveau)*

5. *Roast lamb and mint sauce* est une spécialité .... *(anglais)*

6. Dans cette boutique, il y a de .... choses. *(beau)*

5 Change the sentences using the noun in brackets.

Exemple : Ce film est trop long ! (Cette pièce) → **Cette pièce est trop longue !**

1. Son fils ? C'est un jeune homme sympathique. *(Sa fille/une femme)* → ....

2. Séverine est une nouvelle collègue. *(Sébastien/un collègue)* → ....

3. Martin est allemand et fait un master à la Sorbonne. *(Mariele)* → ....

4. Ce sont des statuettes amérindiennes. *(des sites, m.)* → ....

5. C'est une histoire intéressante. *(un récit)* → ....

6. C'est un choix dangereux et difficile. *(une décision)* → ....

Les jours gris
Grey days

- In French, nouns and adjectives both change their form in the plural. The plural form is shown in several ways in spoken and written French:

    - by an *-s*, not pronounced in most nouns and adjectives:
    Les murs sont blancs. [lemyʀsɔ̃blã] **(The walls are white.)**

    - by the article, the demonstrative adjective, possessive…:
    les [le], *ces* [se], *ses* [se]…
    Ces *murs sont blancs.* [semyʀsɔ̃blã]

    - in the verb form:
    Cette maison est moderne. / Ces maisons **sont** *modernes.*
    (This house is modern. / These houses are modern.)

    - by the presence of a *liaison*:
    Les enfants jouent [lezãfãʒu] *dans la cour.* **(The children are playing in the yard.)**

- As in English, there are some exceptions to the general rule:

    - nouns and adjectives ending in *-al* or *-ail* → *-aux*: *travail/travaux, journal/journaux, animal/animaux, général/généraux, amical/amicaux…*
    C'est le premier mai. Pas de journaux. **(It's the first of May, no newspapers.)**

    - nouns and adjectives ending in *-au, -eu, -eau* → *-aux, -eux, -eaux* and some nouns ending in *-ou* → *-oux* : *cheveu/cheveux, bateau/bateaux, bijou/bijoux, genou/genoux…*
    Tu as les cheveux trop longs ! **(Your hair is too long.)**
    Quels beaux bijoux ! **(What beautiful jewels!)**

    - nouns ending in *-x, -z, -s* do not change:
    Les prix des appartements ont encore augmenté ! (sing. *prix*) **(Apartment prices have gone up again!)**
    Les Français ne sont jamais contents. (sing. *Français*) **(The French are never satisfied.)**
    Ils sont pourtant heureux ! (sing. *heureux*) **(They're happy nevertheless!)**

 Notice that in French:
- <u>hair</u>, <u>furniture</u> and <u>fruit</u> are usually plural: *cheveux, meubles, fruits.*
- <u>trousers</u>, <u>grapes</u> are singular: *pantalon, raisin.*

1 Underline the plural markers of the nouns and adjectives. Then listen to the sentences.

Exemple : Les orangers ont des fleurs blanches. → Les orangers ont des fleurs blanches.

1. Les nuages viennent de l'ouest maintenant.

2. Les voitures forment de longues queues sur l'autoroute.

3. Les dépenses pour la santé augmentent tous les ans.

4. Les nouvelles mesures du gouvernement concernent l'école.

5. En été, les prix des hôtels sont plus chers.

6. Certains bus ne circulent pas le dimanche.

2 Tick *oui* or *non*.

	Oui	Non
1. En général, les mots qui se terminent par *-s* sont au pluriel.	☐	☐
2. Les mots en *-eu, -eau, -au* prennent un *x* au pluriel.	☐	☐
3. Les mots en *-x, -s, -z* ont le pluriel en *-xs, -ss, -zs*.	☐	☐
4. Les marques du pluriel à l'écrit sont plus nombreuses qu'à l'oral.	☐	☐
5. Pour les pluriels en *-s*, c'est le déterminant *(les, ces, ses...)* qui indique le nombre à l'oral.	☐	☐

3 Make sentences from the words below.

*Exemple : **La fête du lycée est supprimée, cette année.***

| L'artisanat mexicain | changent ! Et oui ! | Le cours de grammaire | ***La fête du lycée*** |

| Tes lunettes de soleil | Les temps | protègent les animaux en danger |

| ***est supprimée, cette année.*** | est au premier semestre ? | Les associations d'écologistes |

| sont par terre ! Attention ! | Les bateaux restent au port | est très original. Tu connais ? |

| à cause de la tempête. |

4 Which sentences from Exercise 3 can you form in the singular?

5 Change the sentences from the singular to the plural as in the example.

Exemple : Le pays enregistre 8 % de croissance, cette année.
*→ **Les pays enregistrent** 8 % de croissance, cette année.*

1. La dernière nouvelle n'est pas excellente. → ....

2. Il est heureux, aujourd'hui ! → ....

3. La ville organise des animations pour les écoliers. → ....

4. La vente sur Internet augmente rapidement. → ....

5. L'antivirus des ordinateurs est utile. → ....

6. Le dernier sondage est mauvais. → ....

6 Listen to the recording of Exercise 5 and check your answers. Then listen again and tick the sounds you hear: [z] or [t] when there is a liaison.

	[z] [t]		[z] [t]		[z] [t]
1.	☐ ☐	**3.**	☐ ☐	**5.**	☐ ☐
2.	☐ ☐	**4.**	☐ ☐	**6.**	☐ ☐

Le printemps arrive !
Spring is coming!

* French differs from English as every noun is classed as one of two genders: masculine or feminine. There is no neuter in French.

PERSONS

* The grammatical gender of the names of animate beings corresponds with their sex. The distinction is marked by determiners (*le/la, mon/ma...*) and the masculine or feminine form of adjective::

> *Sa femme est italienne. / Je vais en parler à ma collègue. /*
> *Léonore est contente de ses résultats, mais Thomas est très déçu.*

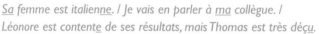

* In some cases the gender is marked by the use of different nouns: *une fille/un garçon, un homme/une femme...* But there are examples of words which are used to refer to either men or women: *juge, ministre, médecin...*

Note that certain nouns are feminine even when they refer to males and vice versa:

> *Patrick est une personne aimable.* **(Patrick is a likeable person.)**
> *Aline est un bébé très sage.* **(Aline is a very well-behaved baby.)**

* Some given names may be used for either men or women: *Dominique, Claude, Camille...*

ANIMALS

* Typically domesticated animals have separate male and female names: *le coq/la poule, le cheval/la jument, le taureau/la vache...*, whereas non-domesticated animals tend to have no specific female form: *le serpent, le moustique, le crocodile...*

THINGS

* Nouns used to refer to inanimate things (objects, abstract notions) are masculine or feminine. There is no general rule as we can see in the examples below:

Feminine nouns	Masculine nouns	Feminine nouns	Masculine nouns
l'adresse	*l'arbre*	*la fin*	*le paysage*
la banque	*le beurre*	*la mer*	*le pont*
la campagne	*le bonheur*	*la minute/*	*le printemps*
l'erreur	*le mur*	*la seconde*	*le sel*
la dent	*le lit*	*la voiture*	*le visage*

 * *Chose* and *personne* are feminine nouns.
   Gens is a masculine plural noun: *Mes voisins sont des gens sympathiques.*
* The names of countries and regions ending in *-e* are usually feminine, such as *l'Italie, l'Argentine, la Bretagne, la Provence...*; but not all, for example *le Mexique* (→ 64).

1 Underline the nouns and write M (masculin) or F (féminin).

Exemple : Julie a __un visage__ fatigué aujourd'hui. **(M)**

1. La mer est agitée aujourd'hui. …
2. Le printemps est en avance. …
3. Lucas et moi, nous avons le même âge. …
4. L'année dernière, il a fait très froid. …
5. Ils sont à la campagne, ce week-end. …
6. Tu arrives toujours à la dernière minute ! …
7. La banque est ouverte de 8h à 18h. …
8. Ta voiture est lente ! …

2 Match the adjectives with the nouns.

Exemple : La mer / agitée → **La mer agitée.**

1. Le printemps   **a.** confortable
2. Le lit   **b.** entier
3. Le visage   **c.** heureuse

4. Le lait   **d.** sportive
5. L'année   **e.** rond
6. La voiture   **f.** pluvieux

3 Match the two parts of the following sentences.

Exemple : L'automne est une / belle époque de l'année. → **L'automne est une belle époque de l'année.**

1. C'est une   **a.** sont en augmentation.
2. Nous avons un   **b.** année difficile pour nous.
3. Sur l'autoroute, les voitures   **c.** nouveau contrat !
4. Les derniers résultats ? Mais ils   **d.** beurre pour le gâteau.
5. Il faut du   **e.** une minute de plus !
6. Je ne reste pas   **f.** roulent à 130 km/h.

4 Add the correct article to the sentences below.

Exemple : Tu me passes…… sel (s.m.) ? → **Tu me passes le sel ?**

1. ……………………………………… printemps *(s.m.)* est en avance !
2. ……………………………………… lait *(s.m.)* est fini ?
3. ……………………………………… fille *(s.f.)* du voisin s'appelle Bérénice.
4. ……………………………………… couleurs *(p.f.)* du ciel sont très belles au coucher.
5. C'est ……………………………………… dernière minute *(s.f.)* du match.
6. Demain, je prends ……………………………………… voiture *(s.f.)*.

5 Listen and complete this conversation between two friends.

Émilie : Où est-ce que vous allez en vacances, …………………… prochain ?
Corinne : On ne sait pas encore. Peut-être, à …………………… chez …………………… d'amis.
Émilie : Nous, on décide à …………………… minute. Les trains et les avions sont moins chers !
Corinne : Oui, c'est une bonne idée.
Émilie : Avec …………………… qu'on a eu, on a besoin de soleil !

Une amie anglaise
An English friend

- In French, usually an *-e* added to a masculine noun changes it to a feminine noun. This *-e* is not pronounced:

    C'est un ami anglais. [ami] / *C'est une amie anglaise.* [ami]
    C'est un professeur. [pʀɔfesœʀ] / *C'est une professeure.* [pʀɔfesœʀ]

- But sometimes, even if not pronounced, this *-e* at the end of the word changes the pronunciation of the final syllable:

    - the final consonant is pronounced in the feminine version (personal nouns, certain animals):

        un avocat [ ] / *une avocate* [t]
        le marchand [ ] / *la marchande* [d]
        le chat [ ] / *la chatte* [t]

    - the final consonant is pronounced in the feminine and the sound is modified:

        le boulanger [e] / *la boulangère* [ɛʀ]
        un lycéen [ɛ̃] / *une lycéenne* [ɛn]
        l'écrivain [ɛ̃] / *l'écrivaine* [ɛn]
        le chien [ɛ̃] / *la chienne* [ɛn]

OTHER CASES

- Nouns that end in *-eur* [œʀ] in the masculine and end in *-euse* [øz] in the feminine:

    vendeur/vendeuse, chanteur/chanteuse, danseur/danseuse…

- Nouns that end in *-teur* [tœʀ] in the masculine and end in *-trice* [tʀis] in the feminine:

    acteur/actrice, animateur/animatrice, directeur/directrice…

- Some personal nouns may have a different word in the masculine and feminine:

    un homme/une femme
    un garçon/une fille
    un frère/une sœur
    un oncle/une tante
    un roi/une reine…

When the name is the same in masculine and feminine, gender is marked by the determinant (article, demonstrative adjective or possessive):

    le/la libraire, un/une artiste, un/une juge, ce/cette concierge, mon/ma fleuriste…

1 Underline the nouns that refer to people.

Exemple : **Le boucher** *ferme à la fin de l'année.*

1. Irina Marianowska est une écrivaine russe.

2. Les médecins sont rares à la campagne.

3. La boulangère de la rue Condorcet fait du bon pain aux céréales.

4. Ma fleuriste aime beaucoup son métier.

5. Le nouveau directeur de notre banque s'appelle Lotfi.

6. Les chanteurs peuvent avoir une carrière très courte.

2 Listen and tick the box with the feminine noun.

Exemple : a. informaticien ☐ → b. informaticienne ☒

1. a. bergère	☐	**b.** berger	☐
2. a. commerçante	☐	**b.** commerçant	☐
3. a. infirmier	☐	**b.** infirmière	☐
4. a. lycéenne	☐	**b.** lycéen	☐
5. a. marchand	☐	**b.** marchande	☐
6. a. bourgeoise	☐	**b.** bourgeois	☐

Les noms masculins avec une terminaison en –r, -d, -t, -en, -s

	Oui	Non
– se prononcent de la même manière au féminin.	☐	☐
– au féminin, on entend une consonne de plus.	☐	☐

3 Replace the underlined nouns with the corresponding feminine or masculine forms, and change the rest of the sentence as appropriate.

Exemple : C'est **un garçon** *très calme.* (une…) → C'est **une fille très calme.**

1. Le roi visite aujourd'hui un lycée de notre ville. → ....

2. C'est la femme de ma vie ! → ....

3. Son neveu vit à Abidjan depuis quatre ans. *(Sa…)* → ....

4. La sœur d'Alice est directrice d'un hôpital. → ....

5. Le chat est à ma voisine. *(mon…)* → ....

6. Mon oncle de Lille est très affectueux avec nous. *(Ma…)* → ....

4 Translate the following sentences into French. Use a dictionary if necessary.

1. Joe's daughter is a writer. → ....

2. The village chemist gives useful advice. *(des conseils)* → ....

3. Gemma is a ballerina at the Paris Opera. → ....

4. She used to be an accountant and now she is a winemaker. *(il/elle était)* → ....

5. Nurses have a difficult job. → ....

6. Sarah, the director's assistant, is very efficient. *(assistant/e, très + adjectif)* → ....

5 Change the nouns from feminine to masculine, changing the rest of the sentence if necessary.

Exemple : L'auteure de ce roman est d'origine russe. → **L'auteur** de ce roman est d'origine russe.

1. La conseillère financière est en vacances. → ....

2. L'avocate demande la libération de son client. → ....

3. La concierge est absente demain. → ....

4. L'animatrice de l'émission du samedi soir va changer. → ....

5. La coiffeuse de notre rue travaille le lundi. → ....

6. C'est la professeure de philosophie du lycée Jules Ferry. → ....

Un homme et une femme
A man and a woman

• The forms of the indefinite article *(article indéfini)* in French are as follows:

	Masculine	Feminine
Singular	un [ɛ̃]	une [yn]
Plural	des [de], [dez] before a vowel	

 • Note that the plural is always *des* whether the noun is masculine or feminine.

• The indefinite article *des* is used in French when English might use the equivalent some:

J'ai acheté une table et des chaises chez Ikea. (**I bought a table and some chairs at Ikea.**)

• *Un* and *des* form a *liaison* with the following word if it starts with a vowel:

C'est_un ami. [sɛtɛ̃nami]
Il a des_amis [iladezami] *à la maison.*

• The indefinite article is used to:

• introduce an element not previously mentioned.

Je veux acheter un beau bouquet de fleurs pour sa fête.
(**I want to buy a beautiful bouquet of flowers for her party.**)

• to refer to an item in a general or abstract manner.

Un dictionnaire, c'est toujours utile. (**A dictionary is always useful.**)
In this case the dictionary mentioned is not one specific dictionary.

• All these forms have the single negative form *de* when the form is negative in terms of quantity.

Je n'ai pas de montre. (**I don't have a watch.**)
Il n'y a pas de cerises sur le gâteau. (**There aren't any cherries on the cake.**)

1 **Choose the right article to complete the sentence.**

Exemple : Il a la / une nouvelle chaîne hi-fi. → *Il a **une** nouvelle chaîne hi-fi.*

1. Je dois prendre *le/un* TGV de 17 h 10.
2. Ils ont *les/des* soucis.
3. On a rendez-vous avec *une/la* nouvelle directrice de notre agence.
4. C'est *la/une* carte postale d'Istanbul.
5. Vous avez *un/le* stylo, s'il vous plaît ?
6. S'il vous plaît, vous avez *des/les* timbres pour l'Australie ?

2 Match the two halves to make full sentences.

Exemple : J'ai / un rendez-vous dans l'après-midi. → **J'ai un rendez-vous dans l'après-midi.**

1. Tu achètes
2. Où sont
3. Vous avez
4. Il y a
5. Alexis a
6. Madame, je voudrais

a. une belle maison, lui.
b. un bon parfum ici !
c. un très bon prof de maths.
d. un pantalon blanc pour l'été ?
e. les clés de voiture ?
f. le journal, s'il te plaît ?

3 Listen to the sentences of Exercise 2 and check your answers. Then tick whether you hear [ɛ̃] as in *brun* or [ɔ̃] as in *bon*. Write the word in which you hear the sound.

	[ɛ̃]	[ɔ̃]
1.	☐	☐
2.	☐	☐
3.	☐	☐
4.	☐	☐
5.	☐	☐
6.	☐	☐

4 Complete with the definite or indefinite article, depending on the sentence.

Exemple : Nous avons ... bonne nouvelle pour vous. → *Nous avons* **une** *bonne nouvelle pour vous.*

1. Leonard a .... cousin argentin.
2. Tu mets .... réveil à sept heures, s'il te plaît ?
3. Ils ont .... entreprise de construction à Lyon.
4. .... grosses voitures consomment beaucoup.
5. .... vélo est de plus en plus utilisé dans les grandes villes.
6. .... dame demande à vous voir, monsieur.
7. Tu mets .... table, s'il te plaît ?
8. .... entraîneur de l'équipe de foot démissionne.

5 Change the words in italics to the singular or the plural and change the rest if necessary.

Exemples : Je voudrais des chemises en coton. → *Je voudrais* **une chemise** *en coton.*
Nous avons un voisin sympathique. → *Nous avons* **des voisins sympathiques**.

1. Il y a *des messages* pour toi. → ....
2. *Des musiciens* jouent l'hymne national. → ....
3. Il y a *des oiseaux* sur le toit. Tu entends ? → ....
4. Tu veux *un chocolat* ? → ....
5. On envoie *une lettre* à tous les candidats. → ....
6. *Des parapluies* sont à la disposition de notre aimable clientèle. → ....
7. Il organise *des voyages touristiques* en Asie Centrale. → ....
8. Nous avons *un exercice difficile* à faire. → ....

Je voudrais deux croissants
I would like two croissants

- *Vouloir* is a modal verb with the meaning 'to want'. In the present indicative, it has three stems *veu-*, *voul-*, *veul-*:

    Je ne veux pas aller à Lille ce week-end.
    (I don't want to go to Lille this weekend.)
    Toni veut voir le médecin.
    (Toni wants to see the doctor.)

Vouloir [vulwaʀ]	
Written	**Spoken**
Je **veu**-x	[ʒəvø]
Tu veu-x	[tyvø]
Il/Elle veu-t	[il/ɛlvø]
Nous **voul**-ons	[nuvulɔ̃]
Vous voul-ez	[vuvule]
Ils/Elles **veul**-ent	[il/ɛlvœl]

- The past participle is *voulu* (→ *25*):

    Ils ont voulu rester.
    (They wanted to stay.)

- The *imparfait* uses the stem *voul-* (*je voul-ais*, → *52*), which is the same as the first person plural of the present: *nous **voul**-ons.*

    Olivier voulait prendre l'avion. **(Olivier wished to take the plane.)**

- The future (→ *46*) and the conditional use the stem *voudr-*.

    Je voudrais rentrer chez moi. **(I would like to go home.)**

THE CONDITIONAL

- The verb *vouloir,* like the verbs *pouvoir* and *devoir* (→ *15* and *53*), is used in the conditional to ask for a service or to express indirectly a piece of advice, an order or a rule (*je voudrais, tu pourrais, vous devriez...*). The use of the conditional is more polite.

- The conditional is formed from the infinitive (*je **parler**-ais, tu **finir**-ais, elle **chanter**-ais*) as is the future (→ *46*). If the infinitive ends in a silent *-e*, this *-e* is not used to form the future tense (*prendre* : *je **prendr**-ais*). The endings are the same for all verbs in the conditional:

    Vous voudriez bien fermer la fenêtre, s'il vous plaît ?
    (Could you please close the window?)
    Je voudrais vous parler une minute.
    (I'd like to talk to you for a minute.)

Vouloir Conditional	
Written	**Spoken**
Je voudr-**ais**	[vudʀɛ]
Tu voudr-**ais**	[vudʀɛ]
Il/Elle voudr-**ait**	[vudʀɛ]
Nous voudr-**ions**	[vudʀjɔ̃]
Vous voudr-**iez**	[vudʀje]
Ils/Elles voudr-**aient**	[vudʀɛ]

1 Listen to the present indicative forms of *vouloir* and tick the ones which have the same sound. Then answer the question below.

Je ☐   Tu ☐   Il ☐
Nous ☐   Vous ☐   Ils ☐

À quelle personne -*eu* a le son ouvert [œ] ? ....

2 Match the two parts of each sentence.

Exemple : Ils / veulent tout ! → **Ils veulent tout !**

1. Vous   **a.** voulez parler à madame Renoir ?
2. Nous   **b.** voudrions une chambre double.
3. Elle   **c.** veut démissionner.
4. Ils   **d.** voudrais un monde meilleur.
5. Est-ce que tu   **e.** voudraient changer d'appartement.
6. Je   **f.** veux vraiment quitter ton pays ?

3 Listen to the recording of exercise 2 and check your answers.

4 Change the sentences to fit the person in brackets.

Exemple : Elle veut rentrer tôt. (je) → **Je veux** *rentrer tôt.*

1. Il ne veut pas travailler le samedi. *(ils)* → ....
2. Tu veux répondre à ma question ou quoi ? *(vous)* → ....
3. Je veux voir le responsable du marketing demain. *(nous)* → ....
4. Elles veulent partir pour un an à l'étranger. *(il)* → ....
5. Nous voulons connaître la vérité. *(je)* → ....
6. Vous voulez bien patienter un instant ? *(tu)* → ....

5 Complete with the present tense of *vouloir*.

Exemple : Est-ce que vous … boire quelque chose, monsieur ?
→ *Est-ce que vous* **voulez** *boire quelque chose, monsieur ?*

1. Tu .... sortir un peu avec tes camarades ?
2. Qu'est-ce que vous .... me dire ?
3. Nous .... réussir, pour vous faire plaisir.
4. Elle .... voir le directeur.
5. Tu ne .... pas aider ton petit frère ? Mais qu'est-ce tu as aujourd'hui ?
6. Vous .... visiter la ville tout de suite ?

6 Make each sentence more polite using the conditional.

Exemple : On veut une table à côté de la fenêtre. → **On voudrait** *une table à côté de la fenêtre.*

1. Je veux une chemise à manches longues, taille 48. → ....
2. On veut deux billets pour le spectacle de samedi. → ....
3. Nous voulons avoir des nouvelles de Christian. → ....
4. Je veux trois timbres pour la Finlande. → ....
5. Vous voulez bien déjeuner avec moi ? → ....
6. Nous voulons un guide de la ville, s'il vous plaît. → ....

Vous faites attention, d'accord ?

Pay attention, OK?

- Just as we have seen with *avoir* and *être,* the frequently used verb *faire* ('to do' or 'to make') is very irregular.

Faire [fɛʀ]	
Written	**Spoken**
Je fai-s	[ʒəfɛ]
Tu fai-s	[tyfɛ]
Il/Elle fai-t	[il/ɛlfɛ]
Nous fais-ons	[nufəzɔ̃]
Vous fait-es	[vufɛt]
Ils/Elles f-ont	[il/ɛlfɔ̃]

- In the indicative present tense the verb *faire* has five written forms and four spoken forms. Note that the *vous* form ends in -*es* rather than -*ez*.

- The past participle is *fait* (→ 25):

     Ils ont fait vite. **(They did it quickly.)**

- The imperative is *fais, faisons, faites* (→ 26):

     Faites entrer le suivant, s'il vous plaît. **(Ask the next one to come in, please.)**

- The *imparfait* uses the base *fais-* (→ 52):

     Jonathan faisait du sport le dimanche. **(Jonathan used to play sport on Sunday.)**

- The future (→ 46) and the conditional (→ 11) are formed from *fer-* :

     Il fera mauvais demain. **(The weather will be bad tomorrow.)**

     Tu ferais bien d'attendre. **(You would do well to wait.)**

- *Faire* is a very versatile word that is used to mean 'to do' or 'to make', but it can also replace any verb that describes an action.

     — Tu vas acheter le journal, s'il te plaît ? — Mais oui, je fais ça tout de suite.
     (Can you get the newspaper, please? –Yes, I'll do that straightaway.)

- *Faire* is also used in several phrases, including the following:

     faire attention à... **(to be careful of...)**

     faire exprès de... **(to do on purpose...)**

     faire partie de... **(to be part of...)**

     faire peur **(to scare)**

     faire semblant de... **(to actas, to pretend...)**

- Finally, *faire* is used with other infinitives with the meaning to make something or to do something:

     Elle fait ses devoirs l'après-midi. **(She does her homework in the afternoon.)**

1 Listen and match each form of the verb *faire* to the correct phonetic transcription.

1. Je fais
2. Tu fais   **a.** [fəzɔ̃]
3. Il fait   **b.** [fɛt]
4. Nous faisons **c.** [fɔ̃]
5. Vous faites **d.** [fɛ]
6. Ils font

2 How do you say these phrases in English?

Exemple : Faire la tête = bouder, montrer sa mauvaise humeur → **To sulk**

1. *Faire connaissance avec/de quelqu'un* = rencontrer quelqu'un pour la première fois → ....
2. *Faire vieux/jeune* = avoir l'air vieux, jeune → ....
3. *Faire un article* (dans une boutique) = avoir / vendre un article (par ex. : *Désolé, nous ne faisons pas cette marque.*) → ....
4. *Faire du 40 (44, 50…)* = avoir la taille 40 → ....
5. *Faire du 36 (38, 45…)* = avoir la pointure 36 → ....

3 Underline the forms of the verb *faire* below. Not all of the sentences below include this verb!

Exemple : Combien **faites-vous**, madame, du 37 ?

1. Qu'est-ce que tu fais dimanche ?
2. Vanessa fait des mathématiques à la fac.
3. Il faut arriver avant 19 heures.
4. Nous fêtons ton anniversaire demain !
5. Je fais du 50 ou du 52 ; je ne sais plus.
6. Arrêtez ! Vous fatiguez tout le monde !

4 Match the two halves of the sentences below. You can only use each part once.

Exemple : Vous / faites un gâteau pour nous ? C'est gentil !
→ **Vous faites un gâteau pour nous ? C'est gentil !**

1. Antonio et Jérôme   **a.** faisons du vélo, le dimanche matin.
2. Nous   **b.** faites du français à l'école ?
3. Vous   **c.** fais mes devoirs tout seul, moi !
4. Claire-Odile   **d.** fait du 45 ! Et il a 12 ans !
5. Baptiste   **e.** fait une fête pour son anniversaire.
6. Je   **f.** font connaissance.

5 Change the sentences to fit the person in brackets.

Exemple : Elle fait semblant de travailler ! (elles) → **elles font semblant de travailler !**

1. Tu fais quoi dans la vie ? *(vous)* → ....
2. Vous faites attention à la circulation. D'accord ? *(tu)* → ....
3. Elle fait juste semblant de lire ! *(elles)* → ....
4. Je fais le ménage pendant le week-end. *(nous)* → ....
5. Il a fait des folies, ces derniers temps : restos, voyages, voitures… *(ils)* → ....
6. Nous ne faisons plus cet article, désolée. *(je)* → ....

Est-ce que tu aimes le foot ?

Do you like football?

- The question sentence expresses a request for information and expects a response or a reaction from the interlocutor. In French a question that requires a yes or no answer to the whole sentence is called *'interrogation totale'*.

  – Tu peux aller à la Poste ?
  *– **Oui**. (Je peux y aller.)/ – **Non**. (Je ne peux pas y aller.)*

- The interrogative can be shown in French in several ways:

  - **rising intonation**

    As in English, in regular conversation, it is enough to give a rising intonation at the sentence. In the letter, the French put a question mark [?] at the end of the sentence, as in English:

    Tu restes à la maison ?

  - **est-ce que**

    The expression *est-ce que* [εskə] is placed at the beginning of the sentence, and gives a neuter intonation at the sentence also:

    Est-ce que vous êtes d'accord ? – Oui. / – Non. **(Do you agree? – Yes. / – No.)**

  - **verbe-pronom personnel (inversion)**

    In more formal communication, the subject can also be reversed:
    Voulez-vous boire quelque chose ?

    In familiar oral exchanges, this kind of inversion is more rare.

1 Listen and put a question mark at the end of the questions.

1. Tu es déjà en vacances ......

2. L'école finit vers la fin juin ....

3. Tu vas aux sports d'hiver, en février ....

4. Madame Gamal, vous pourriez vous occuper de mon chat, ce week-end ......

5. Moi, je peux t'aider, si tu veux ......

6. Tu es stagiaire à la Société Générale ......

2 Change the questions below from 'rising intonation' to *est-ce que,* or vice-versa.

Exemple : Tu vas à un cours de danse, cette année ?
*→ **Est-ce que tu vas à un cours de danse, cette année ?***

1. Vous étudiez la biologie ? → ....

2. Est-ce que tu habites encore Beyrouth ? → ....

3. Ils parlent bien portugais ? → ....

4. Est-ce que le film a commencé à huit heures et demie ? → ....

5. Est-ce que ta mère est informaticienne ? → ....

6. J'achète une brioche ou deux ? → ....

3 Listen to the recording of Exercise 2 and repeat the sentences aloud with the proper intonation.

4 Make questions using *est-ce que* in the present indicative from the following elements.
Exemple : tu / avoir / des amis → Est-ce que tu as des amis ?

1. vous / être / écossais → ....
2. elle / aimer / la science-fiction → ....
3. Farid / arriver / demain → ....
4. tu / avoir cours / le samedi → ....
5. nos invités / apporter / le dessert → ....
6. vous / rester longtemps / à Nice → ....

5 Write the questions with rising intonation and with *est-ce que,* that could be answered by the following responses.
Exemple : Oui, nous habitons Bordeaux.
→ Est-ce que vous habitez Bordeaux ? / Vous habitez Bordeaux ?

1. Non, je n'ai pas de voiture. Tu sais, en ville la voiture est inutile ! → ....
2. La télé ? Oui, nous regardons France 2 et Arte. → ....
3. Ah, oui, Fabienne, j'aime la cuisine française ! → ....
4. Non, il ne fait pas beau à Lausanne, il pleut. → ....
5. Non, mon frère n'est pas journaliste ; il est photographe. → ....
6. Oui, mon cher, je quitte Montpellier ; c'est décidé ! → ....

6 Listen and write 1, 2 or 3 under the sounds [ə] as in *je,* and [ɛ] as in *mère* when you hear them.
Exemple : Est-ce que tu vas bien ? 1[ɛ] / 2 [ə]

	[ɛ]	[ə]
1. **Le** courrier **est** arrivé ? →		
2. **Est**-ce qu'**elle** part demain ? →		
3. **Est**-ce **que** tu trouves ça juste ? →		
4. **Elles** sont au lycée ? →		
5. **Le** match commence bientôt ? →		
6. **Est**-ce **que** je peux dire quelque chose ? →		

7 Match the questions with appropriate answers. You can only use each answer once.
Exemple : – Est-ce que le docteur Jaffret est là ? / – Non, il est encore à l'hôpital.
→ – Est-ce que le docteur Jaffret est là ? – Non, il est encore à l'hôpital.

1. – Tu rentres tard ce soir ?
2. – Vous allez bien, monsieur Abric ?
3. – Est-ce que Sylvain est au lycée ?
4. – Est-ce que vous avez des bagages ?
5. – Tu as fait les courses ?
6. – Tu es français ou suisse ?

a. – Oui, nous avons deux valises.
b. – Oui, après neuf heures.
c. – Non, pas encore. Tu m'accompagnes ?
d. – Très bien, merci. Et vous ?
e. – Je suis suisse, de Neuchâtel.
f. – Oui, il a cours cet après-midi.

Moi, je suis d'accord et toi ?
Me, I agree; how about you?

- The disjunctive forms of personal pronouns (*pronoms personnels sujet toniques*) are used for emphasis. The same forms are used with a preposition (*pour toi, avec nous, devant elle, à eux, vers moi...*). They are generally used only for human beings.

Disjunctive Personal Pronouns		
	Written	Spoken
1st person singular	moi	[mwa]
2nd person singular	toi	[twa]
3rd person singular	lui/elle	[lɥi/ɛl]
1st person plural	nous	[nu]
2nd person plural	vous	[vu]
3rd person plural	eux/elles	[ø/ɛl]

The choice of *toi* or *vous* will be the same as the choice of *tu* or *vous* (→ 2).

- In French, the disjunctive pronouns may be used in the following ways:
  - with the pronouns *je, tu, il...*, to insist, to precise, to correct or to oppose:

    Lui, *il est toujours pressé.* (Him, he's always in a hurry.)
    Moi, *je préfère le blanc.* (Me, I prefer the white.)
  - when the disjunctive pronoun is separated from the verb or is the only word in the sentence.

    Tu crois toujours avoir raison, **toi** *!* (You always think you're right, you do.)
    Qui a crié? **Toi** *? – Non,* **lui**. (Who shouted? You? – No, him.)
  - after *c'est*: *Qui est-ce ? – C'est* **moi**, *maman !* (Who is it? – It's me, mum !)
  - when introduced by a preposition *à, de, pour, avec, chez...* and when introduced by *comme* (like, as): *Tu es chez* **toi** *demain ?* (Are you at (your) home tomorrow?)

    Une femme comme **elle** *mérite de la reconnaissance.* (A woman like her deserves gratitude.)

1 Underline the pronouns such as *moi, je... toi, tu...*

Exemple : **Moi**, *j'*arrive vers huit heures, mais **lui, il** va arriver en retard, je le connais.

1. Et toi, tu es content ?

2. Pour les vacances, nous, nous allons en Bretagne. Eux, ils vont en Égypte. Quelle chance !

3. Moi, je trouve qu'il fait froid ici.

4. Qu'est-ce que vous faites, vous, pour Pâques ?

5. Elles, elles sont toujours tristes !

6. Et vous, vous vous levez tôt d'habitude ?

2 Add the pronouns *je, tu, il/elle...* to complete the sentences.

Exemple : Moi, ... attends depuis une heure, madame ! → *Moi, **j'**attends depuis une heure, madame !*

1. Et toi, ... es toujours à Marseille ?

2. Nous faisons souvent du ski. Et vous, ... aimez les sports d'hiver ?

3. Elle, tu sais, ... est propriétaire de trois appartements !

4. Moi, ... reste ici.

5. Et nous, ... téléphonons à Christelle.

6. Lui, ... fait une belle carrière !

3 Complete the sentences by using a disjunctive personal pronoun: *moi, toi, lui/elle...*

Exemple : ..., il va au cinéma, mais ..., elle préfère la télé.
→ ***Lui,** il va au cinéma, mais **elle,** elle préfère la télé.*

1. ...., je prends un café. Et ...., qu'est-ce que vous prenez ?

2. Tu connais la nouvelle copine de Jérôme Gagnon ? ...., il est très sympa,
mais ...., elle n'est vraiment pas agréable !

3. Demain, c'est l'anniversaire de Raoul. Tu sais, ..., il aime beaucoup les montres.

4. ...., j'apporte des chocolats, et ...., tu apportes des fleurs, d'accord ?

5. Et ...., comment allez-vous ?

6. ...., nous entrons dans la boutique et ...., vous restez devant
la porte avec le chien.

7. ...., il s'appelle Guillaume.

8. ...., tu fais quoi ?

4 Change the pronouns depending on the word in brackets.

*Exemple : Tu sais, **il a** des problèmes, **lui.** (je)* → *Tu sais, **j'ai** des problèmes, **moi.***

1. Elle, elle va souvent à l'étranger. *(il)* → ....

1. Toi, tu parles quelles langues ? *(vous)* → ....

2. Lui, il prend le train tous les jours. *(je)* → ....

3. Moi, je ne supporte pas la chaleur. *(ils)* → ....

4. Et vous, vous faites quoi, demain ? *(tu)* → ....

6. Lui, il a toujours le dernier mot ! *(elle)* → ....

5 Precise, correct or emphasise by using the disjunctive pronouns.

Exemple : Comment ..., ... pouvez penser ça ! → *Comment **vous, vous** pouvez penser ça !*

1. ...., ... suis Martine. ...., ... s'appelle
Markus ; il ne parle pas français.

1. ...., ... faisons le ménage et ...., ...
occupez des courses.

3. ...., ... est gentille, au moins !

4. ...., ... mangeons des fruits tous les matins.

5. ...., ... arrives juste quand ...., ... partons.

6. Et ...., ... cherchez toujours un appartement dans le quartier ?

6 Listen to the recording of Exercise 5 to check your answers. Then read aloud.

Nous pouvons le faire !

We can do it!

- The verb *pouvoir* has three stems in the present: *peu-, pouv,* and *peuv-*.

Pouvoir [puvwaʀ]	
Written	Spoken
Je **peux**	[ʒəpø]
Tu peux	[typø]
Il/Elle peut	[il/ɛlpø]
Nous **pouv**ons	[nupuvɔ̃]
Vous pouvez	[vupuve]
Ils/Elles **peuv**ent	[il/ɛlpœv]

The endings of the 1st, 2nd and 3rd persons singular and the 3rd person plural are not pronounced.

- The past participle is *pu* (→25): *Il n'a pas pu venir.* (He couldn't come.)

- The *imparfait* is formed from the stem *pouv-* (→52): *je pouv-ais, nous pouv-ions.*

   Je pouvais gagner, mais… (I couldn't win, but…)

- The future (→46) and the conditional (→11) are formed from the stem *pourr-: je pourrais, nous pourrions.*

   Tu pourrais faire plus attention ! (You might pay more attention!)

- *Pouvoir* is used to express one of the following meanings:

   - permission: an action is allowed or forbidden.

      Vous pouvez sortir ce soir. (You can go out this evening.)
      Tu ne peux pas fumer ici. (You are not allowed to smoke here.)
      Il ne peut pas rester là. (He can't stay there.)

   - ability: something is physically possible or not.

      Je ne peux pas ouvrir cette boîte. (I can't open this jar.)
      Il peut courir vite. (He can run quickly.)

   - possibility : *Il peut pleuvoir.* (It might rain.)

- *Pouvoir* in the conditional (*tu pourrais, vous pourriez*) is often used to ask for information or to make a polite request or to give advice in an indirect way (→11):

   Pourriez-vous me dire où je peux trouver un arrêt de tram ? (Could you tell me…)
   Vous pourriez vous reposer un peu ! (You could rest for a while!)

1 Listen and tick whether you hear the sounds [ø] or [œ].

Conversation entre Noah et sa mère.   [ø]   [œ]
– Maman, est-ce que je p**eu**x sortir ?   ☒   ☐
– Oui, mais avant tu vas chercher du pain.   ☐   ☐
– Ah, non ! Je n'ai pas envie ! Les enfants ne peuvent jamais faire ce qu'ils veulent ! ☐   ☐
– Tu exagères ! Tu en as pour dix minutes !   ☐   ☐
– Bon, bon, j'y vais. Tu veux que j'achète autre chose ?   ☐   ☐

2 Choose the right form.

Exemple : Je peut/pouvez/peux consulter le dictionnaire, madame ?
→ *Je peux consulter le dictionnaire, madame ?*

1. Sonia, tu *pouvons/peux/pouvez* répondre au téléphone, s'il te plaît ?
2. Nous ne *pouvez/pouvons/peut* pas venir chez vous dimanche, c'est dommage !
3. Je ne *peux/peut/peuvent* pas répondre à votre question. Je regrette.
4. Vous *pouvons/peux/pouvez* épeler votre nom, monsieur ?
5. Maxime, tu *peux/peuvent/peut* m'aider à soulever cette table ?
6. Vous *peuvent/pouvez/peut* prendre la première ou la deuxième à gauche.

3 Complete with the right form of the present indicative of *pouvoir*.

Exemple : Pour aller à Strasbourg, vous … prendre le train ou l'avion.
→ *Pour aller à Strasbourg, vous pouvez prendre le train ou l'avion.*

1. Tu .... faire les courses, exceptionnellement ?
2. Pardon. Je .... entrer ?
3. On .... être là à neuf heures, d'accord ?
4. Est-ce que nous .... voir le docteur Carpentier, s'il vous plaît ?
5. Vous ne .... pas dire ça !
6. Les visiteurs .... voir tout le château, sauf le premier étage.

4 Give advice with a proposal using *pouvoir* in the present conditional.

Exemple : vous / faire des voyages → *Vous pourriez faire des voyages.*

1. tu / aller au cinéma de temps en temps → ....
2. vous / rester plus longtemps → ....
3. on / sortir plus souvent → ....
4. nous / inviter Frank et Sabrina → ....
5. vous / prendre des vacances maintenant → ....
6. ce soir / on / passer voir Tom → ....

5 Translate these sentences into English, using a dictionary if necessary.

1. Je peux te dire un mot ? → ....
2. Tu pourrais parler plus bas ! → ....
3. Chantal peut passer à l'agence retirer le nouveau catalogue. → ....
4. Nous pourrions aller au Musée d'Art moderne, samedi. → ....
5. Ils pourraient être plus attentifs avec les autres ! → ....
6. Vous pouvez faire ça, c'est facile ! → ....

À quelle heure tu finis ?
At what time do you finish?

- Some verbs, such as *finir* and *écrire,* have two stems: *fini-/finiss-* and *écri-/écriv-,* in the present indicative:

Finir [finiʀ]			Écrire [ekʀiʀ]		
Written	**Spoken**		**Written**	**Spoken**	
Je finis Tu finis Il/elle finit	[ʒə fini] [ty fini] [il/ɛl fini]	stem [fini-]	J'écris Tu écris Il/elle écrit	[ʒ ekʀi] [ty ekʀi] [il/ɛl ekʀi]	stem [écri-]
Nous finissons Vous finissez Ils/elles finissent	[nu finisɔ̃] [vu finise] [il/ɛl finis]	stem [finiss-]	Nous écrivons Vous écrivez Ils/elles écrivent	[nu ekʀivɔ̃] [vu ekʀive] [il/ɛl ekʀiv]	stem [écriv-]

These verbs use the auxiliary *avoir* to form compound tenses.

FINIR

- The past participle is *fini* (→*25*):

  Tu as fini ton gâteau ? Déjà ?

- The imperative is *finis, finissons, finissez* (→*26*): *Finis ta viande !*

- The *imparfait* (→*52*) is formed from the stem *finiss-*:

  Je finissais toujours tard.

- The future (→*46*) and the conditional (→*11*) are formed from the stem *finir-*:

  Nous finirons ça demain.

ÉCRIRE

- The past participle is *écrit*: *Il m'a écrit une carte postale de Florence.*

- The imperative is *écris, écrivons, écrivez*: *Écrivez votre nom, s'il vous plaît.*

- The *imparfait* is formed from the stem *écriv-*: *Elle écrivait souvent.*

- The future and the conditional are formed from the stem *écri-*: *J'écrirai une lettre à Max.*

- Other verbs, which are conjugated in the same way as *finir* include: *choisir* (choisi-/choisiss-), *réussir* (réussi-/réussiss-), *unir* (uni-/uniss-) and *fleurir* (fleuri-/fleuriss-)... The same pattern as *écrire* is seen with: *décrire* (décri-/décriv-) and *inscrire* (inscri-/inscriv-), *transcrire* (transcri-/ transcriv-)...

1 Listen to the present of *choisir* and *décrire* and write for each verb the forms, which have the same sound.

Choisir : ....

Décrire : ....

2 Underline the correct form of the verb.

Exemple : Vous finis/finissez/finissent *cet exercice immédiatement.*
→ *Vous* **finissez** *cet exercice immédiatement.*

1. Je *choisissez/choisissons/choisis* le plat du jour.

2. Elles *finissent/finis/finit* tard, le soir.

3. Il *décris/décrivent/décrit* le voleur aux policiers.

4. Tu *inscrivent/inscrivez/inscris* ta fille au cours de danse, cette année ?

5. Elle *réunis/réunit/réunissons* tous ses amis pour sa fête.

6. Nous *écrivons/écrit/écrivent* une lettre au directeur.

3 Complete the verbs in the present tense.

Exemple : Ce guide décr...... bien les paysages de la région.
→ *Ce guide* **décrit** *bien les paysages de la région.*

1. Vous écr........................ votre nom et votre adresse, là, s'il vous plaît.

2. Monsieur, s'il vous plaît, comment on écr........................ *oxygène,* avec un i grec (y) ?

3. Il fin........................ son stage en juin.

4. J'écr.................... une lettre à la Mairie parce que notre quartier manque d'espaces verts.

5. Alors, qu'est-ce que vous choi........................, le resto chinois ou le resto indien ?

6. Quand on part en vacances, nous écr.................... toujours des cartes postales aux amis.

4 Write the correct verb form as shown.

Exemple : Chloé et Étienne réussissent toujours à convaincre les autres. (Chloé)
→ *Chloé réussit toujours à convaincre les autres.*

1. À qui tu écris ? *(vous)* → ....

2. Quand est-ce que vous finissez la formation chez Microweb ? *(tu)* → ....

3. Ils choisissent la meilleure solution. *(Max)* → ....

4. Nous écrivons en français à Monica. *(Charlotte)* → ....

5. Vous choisissez toujours le dessert au chocolat. *(nous)* → ....

6. Vous finissez à quelle heure ? *(tu)* → ....

5 Write the correct verb form in the present tense, as shown.

Exemple : Les vacances .... vite ! (finir) → *Les vacances finissent vite !*

1. Je .... ça et j'arrive ! *(finir)*

2. Comment tu .... Bordeaux, avec un *x* à la fin ? *(écrire)*

3. Vous .... quelle couleur, madame ? *(choisir)*

4. Il .... tout, lui ! *(réussir)*

5. Ces articles .... bien la situation. *(décrire)*

6. Le nouveau pont .... le centre à la banlieue. *(unir)*

7. Ces moines .... des textes anciens. *(transcrire)*

8. Les membres de l'association se .... le premier jeudi du mois. *(réunir)*

Tu as raison !

You are right!

- Just as in English, French has many common phrases formed with *avoir* (to have). To form these you need to conjugate *avoir* (→3). Some of the more useful phrases are explained here:

  - **avoir faim/soif/froid/chaud/sommeil**... (to be hungry/thirsty/hot/cold/sleepy...):
    Tu as froid ? J'allume le chauffage.
    La petite a sommeil ; il faut la mettre au lit.

  - **avoir 15/30/40 ans**... (to be 15/30/40 years old...):
    J'ai 35 ans cette année.

  - **avoir mal à la tête/au dos/à la gorge**... (to have a headache, a backache, to have a sore throat...):
    Elle a toujours mal à la tête !

  - **avoir raison/avoir raison de** + infinitive (to be right/to be right to):
    Vous avez raison de partir.

  - **avoir tort/avoir tort de** + infinitive (to be wrong/to be wrong to):
    Vous avez tort de crier comme ça.

  - **avoir envie/peur, avoir envie/peur de** + infinitive (to want/to be afraid, to want to/to be afraid of):
    J'ai envie d'un bon repas !
    Il a peur de prendre l'avion.

  - **avoir besoin de** + noun or infinitive (to need):
    Tu as besoin d'argent ?
    Nous avons besoin de réfléchir.

- We use *avoir* to form a very common phrase: *il y a (y avoir)* which has no plural form and that often translates as "there is" or "there are" in English.

  Il y a du soleil aujourd'hui. (It's sunny today. [*literally*: There is some sun today.])
  Il y a dix personnes dans la salle d'attente. (There are ten people in the waiting room.)

1 Underline the phrases with *avoir* + noun, such as *avoir faim*.

Exemple : J'ai sommeil, j'ai mal dormi cette nuit ! → **J'ai sommeil,** j'ai mal dormi cette nuit !

1. Jules a peur pour son examen.
2. Elle a un travail intéressant.
3. Ils ont envie de quitter cette ville.
4. Madame, où est-ce que vous avez mal ?
5. Nous avons une réunion importante, cet après-midi.
6. Tu as toujours raison et moi, j'ai tort, c'est ça ?

2 Change the sentences depending on the word in brackets.

*Exemple : Est-ce que vous avez faim ? (tu) → Est-ce que **tu as faim ?***

1. *Tu as besoin* d'aide. *(vous)* → ....
2. *Nous avons soif.* Est-ce qu'il y a de la limonade ? *(je)* → ....
3. *Vous avez peur* des films d'horreur ? Vraiment ? *(tu)* → ....
4. Pendant l'hiver, *il a* souvent *mal* à la gorge. *(elle)* → ....
5. *Vous avez froid,* c'est normal : le chauffage ne marche pas ! *(nous)* → ....
6. *J'ai envie de* faire le tour du monde à vélo ! *(ils)* → ....

3 Choose the right phrase for each sentence.

*Exemple : S'il fait moins de 10 degrés, nous pouvons dire que nous **avons froid.***

avoir sommeil / peur / mal / **froid** / chaud / envie / besoin

1. Nous sommes indécis ; nous .... de réfléchir.
2. Monsieur Lafont a la grippe ; il .... partout.
3. Quand la température monte à 40 degrés, les gens ....
4. Bébé pleure toute la nuit ; ses parents ....
5. Lisa n'aime pas l'obscurité : elle .... de la nuit.
6. Quand tu es fatigué, tu .... de te reposer.

4 Read the conversation between Théo and Emma, a young couple. Then replace two lines of the conversation with the following which are equivalent. Listen to the recording and check your answers.

Ton projet peut attendre ! Va au lit, c'est mieux !
J'ai chaud. Nous avons un thermomètre ?

Emma : Mais qu'est-ce que tu as ? Ça ne va pas ? → ....
Théo : Je ne suis pas bien, j'ai de la fièvre. → ....
Emma : Prends de l'aspirine. Ce n'est rien. → ....
Théo : Oui, mais je dois terminer mon projet pour demain. → ....
Emma : Le travail, le travail ! Reste un peu tranquille ! → ....

5 Write questions that match the answers, as in the example.

Exemple : Oui, il y a du jus de fruits au frigo.
→ Il y a du jus de fruits ? / Est-ce qu'il y a du jus de fruits ?

1. Bien sûr, il y a des bus pour Aix. → ....
2. Oui, j'ai un peu froid. → ....
3. Oui, il y a un film américain à la télé. → ....
4. Oui, j'ai mal à la tête. → ....
5. Oui, il y a du vent ce matin. → ....
6. Oui, monsieur, il y a du courrier. → ....

Pourquoi tu pars ?
Why are you leaving?

- **Pourquoi** is an interrogative adverb used in a similar way to the English 'why'.

  - In spoken French or in a less formal register we have:
    Pourquoi tu ris ?/Tu ris pourquoi ?
    Pourquoi vous êtes là ?/Vous êtes là pourquoi ?

    Also possible is *pourquoi* combined with *est-ce que*:
    Pourquoi est-ce que vous partez si tôt ?
    Pourquoi est-ce qu'il reste à la maison ?

  - In written French the word order after *pourquoi* is inverted to verb plus subject (= personal pronoun):
    Pourquoi habite-t-elle à Menton ? (**Why does she live in Menton?**)
    Pourquoi as-tu pris le bus ? (**Why did you take the bus?**)

- **Parce que** is used to answer questions that could be answered in English with 'because'.
    Elle habite à Menton parce qu'elle y travaille. (**She lives in Menton because she works there.**)

  Or simply: *Parce qu'elle y travaille.*

    J'ai pris le bus parce qu'il pleuvait. (**I took the bus because it was raining.**)

  Or simply: *Parce qu'il pleuvait.*

1 Underline the words that you think introduce a question.

Exemple : – **Que** *pense Maïa de son nouveau travail ?*
    – *Elle trouve que c'est un travail intéressant.*

1. – Où vas-tu ?
   – Je vais faire un tour.

2. – Quand vous allez acheter une nouvelle voiture ?
   – Ben ! Nous attendons que les prix des voitures électriques baissent.

3. – Pourquoi tu insistes comme ça ?
   – Parce que c'est important.

4. – Est-ce que les prévisions météo sont bonnes ?
   – Oui, demain il fait beau !

5. – Qui joue dans ce film?
   – Des acteurs pas très connus.

6. – Pourquoi tu me parles sur ce ton ?
   – Parce que je suis très en colère !

2 Answer the questions.

1. Quel mot sert à demander une explication ? *(Which word is used to ask for an explanation?)*

→ ....

2. Quel mot sert à introduire une explication/une cause ? *(Which word is used to introduce an explanation or a cause?)* → ....

3 Match each question to the answer.

Exemple : Pourquoi cette lettre est revenue ? / Parce que l'adresse est inconnue.
→ **Pourquoi cette lettre est revenue ? – Parce que l'adresse est inconnue.**

1. Où est la route d'Arles, s'il vous plaît ?

2. Pourquoi tu es en retard ?

3. Est-ce que vous préférez la mer à la montagne ?

4. Qu'est-ce que vous lisez pendant les vacances ?

5. Qui est ce jeune homme en smoking blanc ?

6. Pourquoi vous êtes si contents ?

7. Tu vas à la Poste ? Pourquoi ?

a. Parce que nous avons gagné au Loto !

b. C'est le frère du marié.

c. Des romans policiers.

d. Pour acheter des timbres.

e. C'est la deuxième à droite, monsieur.

f. Non, non, j'aime beaucoup la montagne !

g. Parce que la route était bloquée.

4 Listen to the recording of Exercise 3 and check your answers.

5 Complete the questions or answers with *pourquoi* and *parce que*.

*Exemples : – ...... tu ouvres la fenêtre ? – Parce que j'ai chaud ! → – **Pourquoi** tu ouvres la fenêtre ?*
– Pourquoi tu appelles Mélanie ? – ...... elle est souffrante ; elle a la grippe.
*→ – **Parce qu'**elle est souffrante ; elle a la grippe.*

1. Pourquoi vous partez si tôt ? – .... nous avons un rendez-vous.

2. – .... tu as peur des chiens ? – Parce que c'est comme ça !

3. – Pourquoi tu es content ? – .... j'ai une nouvelle console portable !

4. – ...... tu me poses ces questions ? – Parce que je suis curieuse !

5. – Cette route est barrée, ... ? – Parce qu'il y a des travaux.

6. – Pourquoi tu prépares un gâteau ? – .... c'est l'anniversaire de Julien.

7. – .... tu as mal à la tête ? – J'ai mal dormi cette nuit.

8. – Tu restes à la maison ? Pourquoi ? – .... j'ai rendez-vous sur Skype avec Lucas.

6 Translate these sentences into French, using a dictionary if necessary.

1. Why don't you come with us? → ....

2. The internet is not working because there are problems on the network. → ....

3. Laurence went out because she needs to do some shopping. → ....

4. But why doesn't the bus come? → ....

5. We're not going to have lunch because we have a meeting. → ....

6. Why are the children always in front of the TV? → ....

C'est mon tonton !
It's my uncle!

- Just like other adjectives, possessive adjectives agree with the noun. Unlike English, there is no differentiation between 'his', 'her' and 'its'.

Possessive adjectives	Singular		Plural (irrespective of gender)
	Masculine	**Feminine**	
1st person singular	mon	ma	mes
2nd person singular	ton	ta	tes
3rd person singular	son	sa	ses
1st person plural	notre		nos
2nd person plural	votre		vos
3rd person plural	leur		leurs

 In French, the gender of the **possessive adjective** is not related to the gender of the possessor but rather to the gender of the thing that is possessed:

   C'est ta serviette, Charles ? (**ta** serviette, a feminine noun)

- The **possessive adjective** can indicate possession or a relationship with the object.
   Ma valise est noire. (**My suitcase is black.**) / *C'est mon vélo !* (**It's my bicycle.**)
   Quand est-ce qu'il part, ton train, Patrick ? (**When does your train leave, Patrick?**)

- *Être à* is another way of indicating possession or a relationship with an object:
   Ce stylo est à toi ? (→ *21*)

- *Ma, ta et sa* → *mon, ton, son,* if the word after the adjective starts with a vowel or a mute *h* (*ma amie Joëlle* → *mon amie Joëlle*): *Ton idée est géniale !* (**idée, a feminine noun**)

- Unlike English, there is no marker in the third person singular to show if the possessor is male or female.
   *Léa a perdu **son** portable.* (**Léa lost <u>her</u> cell phone.**) / *Tom a perdu **son** portable.* (**Tom lost <u>his</u> cell phone.**)

- For the 1st and 2nd person plural forms there is one singular form *notre, votre* and one plural form *nos, vos* and not *notres, votres,* for example: *Nos amis belges viennent nous voir.* (**not *notres* amis**).
   Votre café est servi, Monsieur. (**Your coffee is served, Sir.**) / *Vos papiers, s'il vous plaît.* (**Your papers, please!**)

- Similarly, the 3rd person plural in the singular (*leur*) does not change depending on the gender of the item possessed:
   Leur maison est jolie. (**Their house is pretty.**) / *Leur appartement est grand.* (**Their apartment is big.**)

 Note the difference between *leur* = (more than one possessor, one thing possessed) and *leurs* = (more than one possessor, more than one thing possessed):
   Ils vendent <u>leur maison</u> de campagne. (*They are selling their country home.*)
   Les voyageurs déposent <u>leurs bagages</u> dans le hall. (*The passengers leave their luggage in the hall.*)

1 Put the sentences in the right order to create a short text. Then underline the possessive adjectives.

Les transformations de <u>nos</u> sociétés ont suivi des rythmes différents, pendant des millénaires.
→ 1

À ces questions, nous devons tous donner une réponse, maintenant. → ......

Notre époque se caractérise par des progrès scientifiques et technologiques nombreux et rapides.

Certaines civilisations n'existent plus. → **2**

En même temps, nos ressources diminuent ou sont contaminées : → ......

est-ce que notre eau sera de plus en plus polluée ? Et l'air que nous respirons ?

Et le sol d'où viennent beaucoup de nos richesses ? → ......

2 Listen to the recording of Exercise 1 and check your answers. Then read aloud as if you were speaking in public!

3 Put the words in italics into the singular or the plural and change the rest of the sentence as needed.

Exemples : Ses critiques *sont injustifiées !* → **Sa critique est injustifiée !**
Ton copain *est à l'université ?* → **Tes copains sont à l'université ?**

1. *Mon collègue* habite en banlieue. → ....

2. *Votre photo* est très belle ! → ....

3. *Leurs fils* sont en vacances ? → ....

4. *Mes amies australiennes* habitent Brisbane. → ....

5. *Tes opinions* m'intéressent. → ....

6. *Son texte* sur les mutations génétiques est très clair. → ....

4 Translate into French. Use a dictionary if necessary.

1. Modern technology has changed our lives. *(technologie f., avoir changé, vie f.)*
→ ....

2. His criticisms are justified but difficult to accept. *(critique f., juste, difficile à accepter)*
→ ....

3. What are your intentions now? *(quel, intention f., maintenant)* → ....

4. Your parcel has arrived, Mr Vial. *(colis m., arrivé)* → ....

5. Can I use your computer? *(utiliser, ordinateur m.)* → ....

6. Our windows look out on to the garden. *(fenêtre f., donner sur, jardin m.)* → ....

7. I haven't received their messages; who knows why! *(va savoir pourquoi !)* → ....

8. Your suitcases are already in the taxi. Have a nice trip! → ....

5 Complete with the possessive adjective for the word in brackets.

Exemple : Tu as vu... montre ? (je) → Tu as vu **ma** montre ?

1. Je ne peux pas réparer .... téléviseur, madame. *(vous)*

2. .... entreprise délocalise en Chine. *(il)*

3. .... anniversaire de mariage est bien dans trois jours ? *(ils)*

4. .... excuses ne sont pas sincères. *(tu)*

5. .... idée est juste, je crois. *(je)*

6. .... exercices ne sont pas bons. *(vous)*

7. .... chemise a une tache, regarde ! *(tu)*

8. Quelle est .... numéro de téléphone ? *(ils)*

It's my uncle! **45**

À cet après-midi !

See you this afternoon!

- In French, as in English, a demonstrative adjective serves to give information about the noun. This can be:

  - information about time or space.

    Cette année, la récolte de céréales est insuffisante.

    (This year, the cereal harvest is insufficient.)

  - remarking on something in sight.

    Cet autobus, il va jusqu'au port.

    (This bus goes as far as the port.)

  - referring to a noun already mentioned.

    Mon sac est très pratique. Ce sac est un cadeau d'anniversaire.

    (My bag is very practical. This bag is a birthday present.)

	Masculine singular	Feminine singular	Plural
Before consonants and h aspirate	*Ce jour* *Ce héros*	*Cette minute* *Cette haie*	*Ces matins* *Ces haricots*
Before vowels and mute h	*Cet après-midi* *Cet hiver*	*Cette année* *Cette heure*	*Ces oranges* *Ces histoires*

- The singular demonstrative adjective *ce, cet* or *cette* is the French equivalent of 'this' or 'that'. The plural form *ces* translates as 'these' or 'those'.

  In French, how near or far something is can be expressed by adding the suffix *-ci* (something near) or *-là* (something distant) after the noun:

    Il y a beaucoup de monde ces jours-ci.
    On passe par cette route-là ?
    Ces visiteurs-ci sont très silencieux, à la différence de ce groupe-là.

  But:

  - in normal conversation, *là* is more frequently used:

    Cette solution-là me semble meilleure. **(That solution seems better to me.)**

  - As for other determinants the *liaison* is mandatory when the noun starts with a vowel:

    Cet oiseau est rare. [sɛtwazo]
    Ces immeubles sont très beaux. [sezimœbl]

1 Choose the correct demonstrative adjective : *ce, cette, cet, ces*.

Exemple : *Passe-moi ... lettre, s'il te plaît.* → *Passe-moi* **cette lettre,** *s'il te plaît.*

1. .... personnes cherchent l'entrée des groupes.

2. .... calculs sont difficiles.

3. Mais où vont tous .... gens ?

4. Le directeur de .... journal est une femme.

5. Je trouve que .... enfant dort trop.

6. .... dame est professeure de physique dans mon lycée.

2 Change the words in italics either into singular or plural and modify the rest of the sentence if necessary.

Exemple : *Ces publicités sont incompréhensibles !* → **Cette publicité est incompréhensible !**

1. *Ce poème* est très beau, j'aime beaucoup ! → ....

2. *Ces valises* sont lourdes ! → ....

3. Pouvez-vous m'expliquer *cette phrase*, monsieur ? → ....

4. *Ces arbres* résistent à la chaleur. → ....

5. Tu me postes *cette lettre*, s'il te plaît ? → ....

6. *Cet enfant* grandit vite. → ....

3 Replace the words in italics in each sentence with one of the words below and change the rest of the sentence as needed: *touriste (m.), émissions (f.), gants (m.), garçon (m.), maison (f.), chaise (f.), musique (f.).*

Exemple : *Ces personnes demandent des informations.* → **Ce touriste demande des informations.**

1. Ah, non ! Je n'achète pas *ce pull.* → ....

2. Tu vois encore *cette copine* ? → ....

3. Je regarde toujours *ces documentaires* sur France 2. C'est bien fait ! → ....

4. Barbara habite dans *cet appartement.* → ....

5. J'aime bien *ces chansons* ! → ....

6. *Ce canapé* est très confortable ! → ....

4 Add *-ci* or *-là*, depending on the meaning of the sentence.

Exemple : *Tu vois ce panneau-..., au bout de la rue ?* → *Tu vois* **ce panneau-là,** *au bout de la rue ?*

1. Cette maison-......... est à mes parents ; cette maison-........., plus loin, elle est à mon oncle.

2. Ce mois-......... c'est le bon, je peux faire des économies.

3. Ces jours-......... je suis en congé.

4. Dans notre immeuble, il y a un nouveau couple, mais ces gens-......... ne parlent à personne !

5. Cette fois-........., tu me dis tout ce que tu sais.

6. Cette idée-......... me plaît.

5 Translate these sentences into French, using a dictionary if necessary.

1. This camera is yours? → ....

2. That motorbike does 250 kilometers an hour? Really? → ....

3. This summer I'm staying in Paris. → ....

4. This dress suits you more than the other one. *(me, te... + aller)* → ....

5. Whose is this book on the table? *(à qui, sur)* → ....

6. Those ideas are old and out-of-date! → ....

See you this afternoon! **47**

Un stylo bleu
A blue pen

NOUN + ADJECTIVE

- Generally, in French, the noun goes before the adjective, which qualifies it. This is the opposite to the rule in English where the adjective always precedes the noun. Remember also that the adjective must agree with the gender and number of the noun: *un repas savoureux* (a tasty meal), *une porte verte* (a green door), *quelques livres intéressants* (some interesting books), *des fenêtres ouvertes* (open windows).

This is the case in particular for:

- adjectives expressing a relation: *belge = de Belgique, français = de France ; romain = de Rome, l'art romain* (Roman = of Rome, Roman art) ; *présidentiel = du président, le palais présidentiel* (presidential = of the president, the presidential palace)

- adjectives that express shape or colour: *un ballon ovale* (an oval ball), *un costume clair* (a light coloured suit), *des roses rouges* (red roses)

- past participles used as adjectives: *une adresse inconnue* (an unknown address), *une place assise* (a seated place [i.e. at a show])

ADJECTIVE + NOUN

- The adjective goes before the noun in the following cases:

- Possessive and demonstrative adjectives (→*19, 20*): *ma tasse* (my cup), *cet homme* (this man).

- Numeral adjectives (→*35*): *les trois frères* (the three brothers), *le premier jour* (the first day).

- The following common adjectives generally precede the noun (this is not a complete list): *beau* (beautiful), *bon* (good), *court* (short), *grand* (big), *gros* (large), *haut* (tall), *jeune* (young), *joli* (pretty), *long* (long), *mauvais* (bad), *petit* (small), *pauvre* (poor), *vieux* (old)...

  les grandes villes (**the big cities**), *une bonne idée* (**a good idea**), *la vieille dame* (**the old lady**), *une mauvaise décision* (**a bad decision**), *les beaux jours* (**the beautiful days**)

ADJECTIVE + NOUN OR NOUN + ADJECTIVE

- Adjectives that provide an assessment can be placed before or after the noun: *agréable, magnifique, splendide, horrible, superbe...*

- If they are used before the noun they have a stronger tone:

  Quelle horrible histoire ! / C'est une histoire horrible !
  (What a horrible story! / It's a horrible story!)

1 Choose the correct adjective to complete each sentence. Insert them at the right place.

Exemples : Cette histoire mérite d'être racontée ! / belle → **Cette belle histoire mérite d'être racontée !**

bonne / courte / passionnante / beau / longues / splendide

1. Alors, tu as vu un film ? → ....
2. C'est une histoire. → ....
3. Pendant les soirées d'hiver, on rêve de l'été. → ....
4. On fait une pause et on se remet au travail. D'accord ? → ....
5. Les Moretti ont une terrasse. → ....
6. Ça, c'est une affaire ! → ....

2 Make complete sentences by pairing up the two halves of the phrases below.

*Exemple : **Tu veux un grand verre d'eau ?***

Ils ont pris	une grosse commande du Brésil	Sophie est	**Tu veux**
une offre de travail intéressante	Notre entreprise a eu		un bon accord
J'aime beaucoup	Enzo a répondu à	une fille charmante	ce journal satirique ?
Tu lis toujours	une décision difficile	les petits restaurants thaï	**un grand verre d'eau ?**

3 Translate the sentences below into French. Use a dictionary if necessary.

1. And now you need a good sleep! → ....
2. It's an extraordinary event that we are celebrating today. *(c'est un...)* → ....
3. Martine had a long meeting with her counsellor. *(entretien m., conseiller m.)* → ....
4. Michel is a hotel manager, his work is quite tricky. *(délicat)* → ....
5. My parents sent me two superb photos of Tunisia. *(superbe, de Tunisie)* → ....
6. For once I saw a lovely programme on France 2, a history programme. *(émission f.)* → ....

4 Complete the sentences using the adjectives below. Then listen to the recording and check your answers.

*Exemple : N'abordons pas les problèmes. → N'abordons pas les problèmes **secondaires**.*

secondaire */ ovale / premier / fatigant / grand / excellent / bon*

1. C'est une nouvelle ! → ....
2. Nous avons une estime de François-Xavier. → ....
3. Un ballon ? Ah, pour jouer au rugby ! → ....
4. Il est gardien de nuit ? C'est un travail. → ....
5. Et si on allait dans un restaurant, ce soir ? → ....
6. M. Poireau est le voisin du étage. → ....

5 Change the position of the adjective to strengthen the tone. Be careful, it is not always possible !

*Exemple : Jean-Luc est un négociateur extraordinaire. → Jean-Luc est un **extraordinaire** négociateur.*

1. Nous avons vécu une aventure exceptionnelle dans le Sahara. → ....
2. Dans l'appartement, nous avons trouvé un désordre indescriptible. → ....
3. Aziz a un talent extraordinaire. → ....
4. Robert travaille avec un collègue belge. → ....
5. Dans ces rues ont vécu beaucoup d'artistes : maintenant, c'est un quartier démodé.

→ ....

Qui êtes-vous ?

Who are you?

- An interrogative phrase is used when a speaker asks someone for information and expects an answer to the question.

  - ***Qui*** (who) is used to ask about who is doing the action:

    Qui veut encore du gâteau ? (**Who wants some more cake?**)

  - ***Que*** (what) is used to ask about the action going on:

    Que font nos amis ce soir ? (**What are our friends doing tonight?**)

 - *Que* becomes *qu'* before a word beginning with a vowel or with a mute *h*, but with *qui* there is no elision:

    Qu'est-ce que tu veux ? (**What do you want?**)
    Qui a frappé à la porte ? (**Who knocked on the door?**)

- *Qui* and *que* are both third person masculine singular and adjectives and participles agree accordingly:

    Qui est arrivé hier ? / Qu'avez-vous vu ?

- *Qui* and *que* can be combined with *est-ce que*. This is a commonly used question form:

    Qui est-ce que vous cherchez, madame ? / Qu'est-ce que tu achètes pour midi ?

- In more formal conversation questions can be formed by inverting the personal pronoun and the verb:

    Qui regardez-vous, mon cher ? / Que cherches-tu ici ?

- In more informal spoken French a statement can become a question by the intonation:

    Tu regardes qui ? / Vous cherchez qui ?

1 **Read the sentences and answer the questions.**

1. Qui sont vos associés ?
2. Qui discute avec Antonio ?
3. Qu'est-ce que tu dis ?
4. Qui est-ce que vous invitez ?
5. Qu'est-ce que vous avez comme magazines ?
6. Que veut donc Virginie ?

	Vrai	Faux
a. Le pronom interrogatif *qui* se rapporte à une chose.	☐	☐
b. Le pronom interrogatif *que* se rapporte à une personne.	☐	☐
c. Le pronom interrogatif *que* s'élide devant une voyelle (= *qu'*).	☐	☐
d. *Qui* ne s'élide pas devant une voyelle (= *qui*).	☐	☐

2 Match the questions with the answers.

Exemple : Qu'est-ce que tu regardes ? / Je regarde le plan de la ville, tu vois bien !
→ *Qu'est-ce que tu regardes ? Je regarde le plan de la ville, tu vois bien !*

1. Qui a téléphoné ?
2. Qui est-ce que vous cherchez ?
3. Qu'est-ce que tu veux, au fait ?
4. Mais qui crie comme ça ?
5. Qu'est-ce que tu prends ?
6. Que font tes parents ?

a. Ils ont une boutique de prêt-à-porter.
b. C'est le petit garçon d'à côté : il fait des caprices.
c. On cherche le gardien de l'immeuble.
d. Je veux être écouté, c'est tout !
e. Le plat du jour et toi ?
f. *Allôtél,* pour une publicité.

3 Make questions of the sentences by using *qui est-ce que* or *qu'est-ce que.*

Exemples : Vous attendez quelqu'un. → *Qui est-ce que vous attendez ?*
Elle demande quelque chose. → *Qu'est-ce qu'elle demande ?*

1. Ils cherchent quelqu'un. → ....
2. Vous accompagnez quelqu'un à la gare routière. → ....
3. Il transporte quelque chose. → ....
4. Elle voit quelqu'un à midi. → ....
5. Elles achètent quelque chose. → ....
6. Vous prenez quelque chose. → ....

4 Match the two halves of each sentence.

Exemple : Qui accompagne / Clara à l'école ? → *Qui accompagne Clara à l'école ?*

1. Qui a écrit
2. Qui est-ce qu'elle invite
3. Au fait, Omar, qu'est-ce qu'il a
4. Qui veut
5. Qu'est-ce que vous choisissez, alors ?
6. Que préfère Camille

a. comme moto ?
b. sortir avec nous ?
c. pour ses vacances : juillet ou août ?
d. à sa fête ?
e. ce message ?
f. Le bifteck ou le poisson grillé ?

5 Complete with *qui* or *que / qu'.*

Exemple : ... est-ce que vous avez comme journaux espagnols ?
→ *Qu'est-ce que vous avez comme journaux espagnols ?*

1. .... est ce que j'achète au marché ?
2. .... pensent tes parents ?
3. .... est l'auteur de ce roman ?
4. .... est-ce que vous faites, ce soir ?
5. .... est-ce que tu dois voir à cinq heures ?
6. .... est-ce que vous saluez ?

6 Listen to the recording of Exercise 5 and check your answers.

Vous êtes d'accord ?
Do you agree?

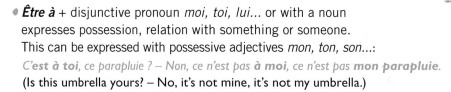

- Just as in English, there are many set phrases that use the word *être* (to be). Some of these more common expressions are listed below.

  - ***Être en train de*** + infinitive means 'to be in the process of [doing something]', 'to be in the middle of':
    Tu es en train de lire le journal ?
    (Are you in the middle of reading the paper?)

  - ***Être à*** + disjunctive pronoun *moi, toi, lui...* or with a noun expresses possession, relation with something or someone. This can be expressed with possessive adjectives *mon, ton, son...*:
    C'est à toi, ce parapluie ? – Non, ce n'est pas à moi, ce n'est pas mon parapluie.
    (Is this umbrella yours? – No, it's not mine, it's not my umbrella.)

Other set phrases with *être* include:

  - ***Être certain/sûr*** (to be sure of): *Vous êtes sûr/certain de cette information ?*
  - ***Être d'accord*** (to agree). This is often shortened to *d'accord* in conversation:
    Je suis d'accord avec vous. / Oui, oui, d'accord !
  - ***Être de*** (to come from): *Elle est de Strasbourg.*
  - ***Être pour/contre*** (to be in favour of/against something):
    Je suis pour l'environnement ! / Êtes-vous contre l'énergie nucléaire ?
  - ***Être bien/mal*** is a common French expression with no direct equivalent in English. It can be translated as 'to be at ease/to not be at ease ; 'to be good/to not be good' ; 'to be in a good place/to not be in a good place' depending on the case:
    Nous sommes bien à la maison. **(It's good to be at home.)**
    Je suis bien avec toi. **(I'm good with you.)**
    Ce n'est pas si mal. **(It isn't that bad.)**
  - ***Être dans*** (to be in): *Son cousin est dans l'armée.*

1 Underline the words that express possession or relation with someone or something.
Exemple : Toulouse, c'est ma ville. → *Toulouse, **c'est ma** ville.*

1. Cette écharpe est à Youssef. C'est son écharpe, je suis sûr de ça !
2. Ça, c'est à moi, c'est mon parapluie, monsieur. Il y a mes initiales, là.
3. Ces livres sont à Loïc. Ce sont ses livres, je vous dis.
4. C'est votre place ? Désolé !
5. C'est mon jour de chance aujourd'hui !
6. Mais, madame, vous prenez mon caddy ! Il est à moi ; ce sont mes courses !

2 Change the sentences following the indications.

Exemple : Vous êtes pour ou contre l'ouverture des boutiques le dimanche ? (tu)
→ *Tu es pour ou contre l'ouverture des boutiques le dimanche ?*

1. Tu es bien ? Tu as besoin d'aide ? *(vous)* → ....
2. Ils sont sûrs d'avoir raison. *(elle)* → ....
3. Il est dans le commerce. *(ils)* → ....
4. Je suis toujours d'accord avec toi. *(nous)* → ....
5. Elle est en train de réfléchir. *(je)* → ....
6. Ils sont mal dans ce petit appartement ! *(il)* → ....

3 Change the sentences using *être à*.

Exemple : C'est ton pull ? → Ce pull est à toi ?

1. C'est ta veste ? → ....
2. C'est votre portefeuille, madame ? → ....
3. C'est la mobylette de ta sœur ? → ....
4. Mais c'est notre valise ! Il y a notre nom dessus. → ....
5. C'est mon stylo ! C'est un cadeau !. → ....
6. C'est leur voiture, tu vois bien ; elle est neuve ! → ....
7. C'est ma tablette ! → ....
8. Est-ce que c'est la casquette de Jules ? → ....

4 Listen to the recording of Exercise 3 and check your answers.

5 Change the sentences using *être en train de* + infinitive.

Exemple : En ce moment, j'écris un courriel. → Je suis en train d'écrire un courriel.

1. Rafiq rentre chez lui. → ....
2. Nous parlons de la pluie et du beau temps. → ....
3. Tu répares ta chaîne hi-fi ? → ....
4. Vous admirez le paysage ? → ....
5. Ils discutent encore. → ....
6. Magali ? Elle regarde les horaires des séances de cinéma. → ....
7. Mais qu'est-ce que vous faites ? → ....
8. Benoît range sa chambre. → ....

6 Translate these sentences into French using a dictionary if necessary.

Exemple : En ce moment, j'écris un courriel. → Je suis en train d'écrire un courriel.

1. These workers are in the process of repairing the roof. *(ouvrier m., réparer, toit m.)*
→ ....
2. We are good/at ease here! → ....
3. This bag next to the till, is it yours sir? *(sac m., à côté de, caisse f.)* → ....
4. Jean are you in the middle of working? → ....
5. Me, I'm from Caen and you? → ....
6. Do you agree with us? → ....

Je n'aime pas l'hiver
I don't like winter

- There are several negatives in French, most of which are in two parts and fit around the verb of the sentence. Two of the most common negative expressions are *ne... pas* (not) and *ne... plus* (no more, no longer).
  - *Je ne sais pas.* (**I don't know.**)
  - *Je ne fume plus.* (**I don't smoke any more.**)

- The two parts go around the verb.
  Before a vowel or a silent *h*, *ne* contracts to *n'*:
  - *Elle n'est pas là.* (**She isn't there.**)
  - *Simone ne la voit plus.* (**Simone doesn't see her any more.**)

- With a compound tense such as the *passé composé*, the two parts of the negative go before and after the auxiliary verb:
  - *Je n'ai pas fini la soupe.* (**I haven't finished the soup.**)
  - *Vous n'avez plus faim ?* (**You're not hungry any more?**)

- You cannot use *ne* on its own in this way. In informal spoken French *ne* is sometimes missed out:
  - *Je veux pas y aller.* (**I don't want to go.**)
  - *Je sais pas.* (**I don't know.**)

- *Non* on its own is used for direct negative answers:
  - *As-tu vu Hamid ? – Non.* (**Have you seen Hamid? – No.**)

1 Read these sentences and underline the negative words and then answer the questions below.

1. Ils n'ont pas eu de vacances cette année.
2. Tu n'as pas compris ?
3. Je ne suis pas fatigué.
4. Vous n'appelez plus avant 8 heures, s'il vous plaît.
5. Nous n'habitons plus à Rennes.

On exprime la négation par

ne (n') nom *pas/plus*.	☐
ne (n') adjectif *pas/plus*.	☐
ne (n') verbe forme simple/auxiliaire *pas/plus*.	☐
ne (n') verbe, *pas* ou *plus* sont facultatifs.	☐

2 Put the words in each sentence in the right order.

*Exemple : ne / pas / d'adresse électronique / a / elle → **Elle n'a pas d'adresse électronique.***

1. ne / pas / David / est / médecin → ....

2. ne / plus / je / ai / vingt ans ! → ....

3. ne / pas / nous / beaucoup / dormons → ....

4. ne / plus / travaille / il / chez Carrefour → ....

5. ne / pas / fermez / vous / les portes ? / C'est dangereux ! → ....

6. ne / pas / ils / belges / sont → ....

3 Put the sentences into the negative.

*Exemple : Vous allez souvent au théâtre. → **Vous n'allez pas souvent au théâtre.***

1. Ma mère parle provençal. → ....

2. Nous allons en croisière en septembre. → ....

3. Ils habitent à Fontainebleau. → ....

4. Vous êtes de Colmar ? → ....

5. Tu es libre de faire ce que tu veux. → ....

6. Elle a donné son adresse à tout le monde. → ....

7. Cette plage est propre. → ....

8. Tu as raison. → ....

4 Translate these sentences into French.

1. Aren't you coming by later? → ....

2. It's not very warm today! → ....

3. I won't finish my text today, I'm tired. → ....

4. Sophie isn't very happy with her new job. → ....

5. Leïla can't find her bicycle any more. → ....

6. We're not ready. → ....

5 Listen and complete the text.

Exemple : Vous habitez encore à Toulon ? – Non,... ; nous sommes à Nîmes maintenant.
*→ Non, **nous n'habitons plus à Toulon** ; nous sommes à Nîmes maintenant.*

1. – Il est content du résultat de son examen ?

– Non, ... du tout !

2. – Tu reviens des Pays-Bas ?

– Non, ... Je suis allé à Berlin !

3. – Votre fils est au lycée, madame Tauzer ?

– Ben, non, il .... au lycée. Il est à l'université.

4. – Vous êtes russes ?

– Non, nous .... Nous sommes bulgares, de Sofia.

5. – Tu restes à Lyon, en août ?

– Non, je .... à Lyon. Je vais au frais, dans les Pyrénées.

6. – Est-ce que les magasins ferment à midi ?

– Non, ils .... maintenant.

Vous avez compris ?
Have you understood?

- The *passé composé* (*avoir* or *être* + past participle) is used to express completed actions in the past with a relation to the present. It is used in narrating events. The majority of French verbs use *avoir* as an auxiliary verb to conjugate the tenses that require it, such as the *passé composé*.

- The *passé composé* expresses an action:
  - that is completed: *Elle est partie.*
  - before the present: *Quand il a dormi, il va mieux.*
  - a narrative in the past establishing a relationship with the present: *Je suis née en 1994.*

  • With the auxiliary *être (aller, venir, arriver, partir…),* the past participle functions as an adjective:

  > *Il est arrivé.* / **Elle** *est arrivée.*

  • When it is used on its own it has the value of an adjective:

  > *la personne aimée, le français parlé, une place assise…*

  • For verbs conjugated with *avoir,* the past participle does not need to change to agree with gender or number.

  The groups with the infinitive endings *-er, -ir* and *-re* form the past participle as follow:

Verb ending	Past participle	Example
-er	stem + é	*manger* (to eat) → *mangé* (ate) *j'ai mangé* (I ate)
-ir	stem + i	*finir* (to finish) → *fini* (finished) *nous avons fini* (we finished)
-re	stem + u	*répondre* (to answer) → *répondu* (answered) *il a répondu* (he answered)

- There are several verbs with irregular past participles, for example:

avoir	→	eu	*J'ai eu peur.*
être	→	été	*Elle a été professeur toute sa vie.*
devoir	→	dû	*Ils ont dû partir plus tôt.*
faire	→	fait	*Il a fait beau tout le week-end.*
naître	→	né	*Léo est né le 20 juillet 1995.*
prendre	→	pris	*Elle a pris un steak frites.*
pouvoir	→	pu	*Nous n'avons pas pu les voir.*
savoir	→	su	*Personne n'a rien su.*

1 Read the sentences and then answer the questions below.

    1. J'ai rencontré Delphine tout à l'heure.

    2. Nous avons vu le dernier film de Luc Besson. Et vous ?

    3. Floriane est restée longtemps chez ses parents.

    4. Jean-Marc et Léna sont arrivés juste hier.

    5. Cette année, ils sont allés à la mer.

	Oui	Non
Dans ces phrases au passé composé,		
a. avec l'auxiliaire *être*, le participe passé s'accorde avec le sujet, comme un adjectif.	☐	☐
b. avec l'auxiliaire *avoir*, le participe passé est invariable.	☐	☐

2 Change the sentences using the words in brackets.

    Exemple : Mon géranium est mort à cause du froid. (mes plantes)
    → **Mes plantes sont mortes** *à cause du froid.*

    1. Aïcha est née le 6 novembre. *(Jean-Paul)* → ....

    2. Nous avons acheté un lave-vaisselle, enfin ! *(je)* → ....

    3. J'ai travaillé trois ans à la Poste. *(ma sœur)* → ....

    4. Gilles a gagné le tournoi de ski de fond inter-universitaire. *(Florence)* → ....

    5. Est-ce que vous êtes partis ensemble ? *(ils)* → ....

    6. Tu as entendu les cris cette nuit ? *(vous)* → ....

3 Make six sentences by matching the words in the grid below.

    *Exemple : **Tiffany et Paul ont annoncé leur mariage.***

La météo	*au passé composé :*	du beau temps.
Tiffany et Paul	annoncer	des orages.
Notre directeur	prévoir *(prévu)*	un budget en hausse.
Ils		la naissance de leur petite fille.

4 Translate these sentences into French, using a dictionary if needed.

    1. Guillaume left the office very late. → ....

    2. Eva sent a postcard from Japan. → ....

    3. She arrived just before the start of the meeting. → ....

    4. You left your town at what age? → ....

    5. Have you noted our new phone number? → ....

    6. Fabrice and his friends went to the Vietnamese restaurant in rue Lamartine. → ....

5 Conjugate the verbs in the *passé composé* or in the present indicative, depending on the sentence.

    *Exemple : Marie ... trois fois cet après-midi. (appeler) → Marie **a appelé** trois fois cet après-midi.*

    1. J'............................ tous mes devoirs : je peux voir la télé maintenant ? *(finir)*

    2 Tu sais, Lise et Joe ont téléphoné : ils .... nous voir ce soir. *(venir)*

    3 Quand on peut, on .... en Provence le week-end. *(aller)*

    4 Charles-Édouard .... un voyage en Finlande, l'été dernier. *(faire)*

    5 Hier, Séverin .... Cristiano Ronaldo en personne dans la rue. *(voir)*

    6 Elle .... à l'annonce le jour même. *(répondre)*

Tournez à droite
Turn right

The imperative mood is used for giving orders, prohibitions and direct requests. The only forms for each verb are the following:

- Second person singular: *Viens ici immédiatement !* (Come here immediately!)
- First person plural : *Allons, allons ! Du calme !* (Come on! Calm down!)
- Second person plural: *Venez voir ça !* (Come and see this!)

The first person plural carries the idea of advice and suggestion.

- The imperative is used without a subject: *pars, partons, partez.* The forms of the imperative correspond to those of the indicative present. With verbs such as *parler,* the second person singular ends in *-e* rather than *-es* (present indicative):

  Tu manges trop vite. Mange plus lentement.
  Tu fermes la fenêtre, s'il te plaît. Ferme la fenêtre, il fait froid ici.

- Verbs which are at least partially irregular in the imperative, include:

  - être (**sois, soyons, soyez**)
  - aller (**va,** allons, allez)
  - ouvrir (**ouvre,** ouvrons, ouvrez)
  - savoir (**sache, sachons, sachez**)

- In French, an order is not generally expressed directly and when it is, *s'il te/vous plaît* is added:

  Parlez moins fort, s'il vous plaît. Il y a des enfants qui dorment à côté.

- Despite its name, the imperative is mainly used to express encouragement or advice, and only more rarely an order. In the negative form (→24), it expresses a prohibition, but can also express a desire:

  Maintenant, n'utilise plus ton portable. (Don't use your mobile phone any more.)
  Ne dis pas de bêtises. (Don't talk rubbish!)

 1 Listen and underline the letters you do not hear.

Impératif				Impératif	
Exemple : parle<u>r</u>	(tu) parl<u>e</u>	(vous) parle<u>z</u>		(tu)	(vous)
1. finir	finis	finissez	5. être	sois	soyez
2. faire	fais	faites	6. avoir	aie	ayez
3. aller	va	allez	7. venir	viens	venez
4. écrire	écris	écrivez	8. choisir	choisis	choisissez

Listen and tick the sentences with an imperative.

Exemple : **Téléphone** *à François, c'est son anniversaire aujourd'hui !* ☒

1. ☐   4. ☐
2. ☐   5. ☐
3. ☐   6. ☐

3 **Indicate the mood/the tense of the verbs in italics :** *infinitif, présent de l'indicatif, impératif.*

Exemple : Retirer *la prise.* → **Infinitif**

1. *Attendre* l'ouverture des portes. → ....
2. *Faites* vos valises ; il est déjà huit heures ! → ....
3. *Appuyer* sur la sonnette puis entrer. → ....
4. *Acheter* aux producteurs, c'est mieux ! → ....
5. Tu *parles* plus fort, s'il te plaît ? → ....
6. Ne pas *fermer* la porte à clé. → ....

4 **Change the sentences from the present indicative to the imperative.**

Exemple : Vous faites ce que vous voulez. → **Faites** ce que vous voulez !

1. Tu passes l'aspirateur, s'il te plaît. → ....
2. Vous faites attention à la marche. → ....
3. Vous écoutez ce que je dis. → ....
4. Tu traverses la place et tu prends l'avenue Diderot. → ....
5. Vous prenez de l'eau pour le voyage. → ....
6. Tu téléphones, s'il y a un problème. → ....

5 **Translate these sentences into French using a dictionary if necessary.**

1. Don't cry like that! *(pleurer)* → ....
2. Go to the market, it's cheaper. *(c'est moins cher)* → ....
3. Don't say anything else please. → ....
4. Don't leave the doors open, it creates a draught. *(ça fait courant d'air)* → ....
5. Don't get any food ready for tonight. I'll take you out to the restaurant. → ....
6. Come and look! There's a surprise for you! *(venir/viens + infinitif, il y a)* → ....

6 **Put the verbs in the negative imperative.**

Exemple : ... *l'heure toutes les cinq minutes, c'est insupportable !* (regarder, vous)
→ **Ne regardez pas** *l'heure toutes les cinq minutes, c'est insupportable !*

1. .... cette valise, elle est trop grande. *(acheter, vous)*
2. .... tes affaires partout. *(laisser, tu)*
3. .... cette fiche. Ce n'est pas la bonne. *(remplir, tu)*
4. .... ça ! *(dire, vous)*
5. .... ce produit sans lire les instructions. *(utiliser, tu)*
6. .... ce voyage au mois d'août. Il y a trop de monde. *(faire, vous)*

Je vais t'appeler plus tard
I'm going to call you later

- As is the case with *avoir* and *être, aller* (to go) is an irregular verb. Just as in English it is used to form a way of talking about the future.

Aller [ale]	
Written	**Spoken**
Je vais	[ʒəve]
Tu vas	[tyva]
Il/Elle va	[il/ɛlva]
Nous allons	[nuzalɔ̃]
Vous allez	[vuzale]
Ils/Elles vont	[il/ɛlvɔ̃]

- The past participle is *allé* and the passé composé is conjugated with *être*:

  Elle est allée te voir. (**She went to see you.**)

- The imperative is *va, allons, allez*:

  Va chercher du pain, s'il te plaît. (**Go and get some bread, please.**)
  Allez à la gare en bus, c'est plus rapide. (**Go to the station by bus, it's quicker.**)

- The *imparfait* (→ 52) use the stem *all-* (1st and 2nd persons in present):

  J'allais tous les jours au parc (**I used to go to the park every day.**)

- The future and conditional (→ 46 and 11) are formed from an irregular stem *ir-*:

  Tu iras voir Jean-Marc, demain ? (**Are you going to see Jean-Marc tomorrow?**)
  Moi, j'irais bien faire un tour. (**I'd go for a walk.**)

FUTUR PROCHE

- To use *aller* to form the *futur proche* (the 'near future'), you need to add the infinitive of the verb directly after the part of *aller*. This has the meaning of 'to be going (to)'. This is often used instead of the future tense, particularly in informal speech.

  Je vais aller au supermarché ce matin. (**I'll go to the supermarket this morning.**)

 Aller also can be used with the meaning 'to be' as in how someone is feeling:

  Ça va ? – Oui, je vais bien. (How are you? – I'm fine.)

A further sense of *aller* is 'to go well with or to suit'; most frequently in the sense of clothes or colours.

  Est-ce que le bleu me va bien ? (Does the blue suit me?)

❶ Complete the sentences with the correct form of *aller*, in the present indicative tense.

Exemple : Où est-ce que vous… cet été ? → *Où est-ce que vous **allez** cet été ?*

1. Nous .... chercher les enfants plus tôt, aujourd'hui.

2. Ta mère, elle .... mieux ?

3. Maximilien .... souvent à l'étranger pour son travail.

4. Vous .... au restaurant du coin ?

5. Elles .... à Versailles à vélo ! Seize kilomètres depuis Paris !

6. Je ne .... pas au bureau demain, je travaille à la maison.

❷ Put the sentences in the right order.

Conversation entre Damien, 16 ans, et son père.

– Et je vais vous appeler dès que j'arrive chez Achille. C'est ça ? → ......

– Où est-ce que tu vas à cette heure ? → ......

– Ah bon ! Alors, tu vas prendre un taxi pour rentrer, d'accord ? Voilà vingt euros. → ......

– Mais oui ! Promis ! → ......

– C'est promis ? → ......

– Je vais chez Achille voir un DVD. → ......

❸ Listen to the conversation of Exercise 2 in the correct order and check your answers.

❹ Underline the forms of the verb *aller* which express a future action.

*Exemple : **Il va** tout **finir**, avant ce soir.*

1. Nous allons au Salon de l'Agriculture, avec les enfants.

2. Tu vas rester encore un peu ?

3. Il va faire froid demain.

4. Vous allez encore passer l'hiver aux Baléares cette année ?

5. Ils vont émigrer au Québec, je crois.

6. Je vais souvent à Rouen quand Jean-Pierre est là.

❺ Replace the present tense with the near future.

Exemple : Vous avez de la famille pour Noël ? → ***Vous allez avoir** de la famille pour Noël ?*

1. Tu es plus attentif maintenant. → ....

2. Nous partons. Il est tard ! → ....

3. Il finit son stage en juillet. → ....

4. Christine reprend ses études. Tu le savais ? → ....

5. Les Thierry achètent un appartement dans le centre. → ....

6. Vous lisez ce roman de 800 pages ? → ....

❻ Make six sentences with *aller* + infinitive, using information from the table below.

*Exemple : **Vos amis vont téléphoner plus tard.***

Je Gabriel Lucie Vos amis	aller	arriver partir téléphoner	plus tard demain la semaine prochaine

Où as-tu acheté ça ?

Where did you buy that?

OÙ

- *Où* (where) can be used for questions and relative clauses.
  As an interrogative it asks the question 'where' and can carry the notion of movement towards a place:

  Où vas-tu ? (**Where are you going?**)
  Où est-elle allée ? (**Where did she go?**)

- *De + où* (from where) indicates where something or someone has come from:

  D'où venez-vous ? – De Nouvelle-Zélande. (**Where are you from? – From New Zealand.**)

- *Où* is the only word in French which contains a *'u'* with a grave accent (`). This is to mark the difference with the conjunction *ou* (or).

QUAND

Quand works in a similar manner and as an interrogative it asks the question 'when':

  Quand veux-tu venir à Glasgow ? (**When do you want to come to Glasgow?**)
  Quand est-ce que tu arrives à la gare ? (**When do you arrive at the station?**)

- In common speech, *où* and *quand* can:

  - come after the verb:

    Tu arrives quand ? / Vous allez où ? / Tu pars d'où ?

  - combine with *est-ce que*:

    Quand est-ce que tu arrives ? / Où est-ce que vous allez ? / D'où est-ce que tu viens ?

- In a more formal situation, a question can be formed by inverting the personal pronoun and the verb (*inversion*):

    Quand partez-vous, monsieur ? / Où allez-vous en vacances, cher ami ?

1 Listen and complete these questions and answers with *quand, où* or *d'où*, depending on the sentences.

Exemples : – *Vous allez .... à Londres ? – Dans trois semaines.*
→ – *Vous allez* **quand** *à Londres ? – Dans trois semaines.*
– *........ est-ce que vous venez ? – De la gare.*
→ – **D'où** *est-ce que vous venez ? – De la gare.*

1. – Tu vas .... au concert ? – Demain soir, à 19 heures 30.
2. – .... vous faites les courses ? Au marché ? – Non, nous allons dans un supermarché, à dix minutes de chez nous.
3. – Daby est.......... ? – Il est sénégalais mais il vit en France.
4. – C'est .... l'anniversaire de Théo ? – Le 12 juin, dans une semaine, quoi !
5. – Julien, ... est-ce que tu as mis la clé de la voiture ? – Elle est dans le petit tiroir du buffet.
6. – .... allez-vous en vacances ? – En Bretagne, chez des amis.

2 **Make sentences from the information below.**

Exemple : se trouve / ce magasin de produits asiatiques / où ? → *Où se trouve ce magasin de produits asiatiques ? / Ce magasin de produits asiatiques se trouve où ?*

1. tu / quand / viens ? → ....

2. apprenez / où / vous / le français ? → ....

3. la Poste / quand / ouvre ? → ....

4. d'où / ces oranges / viennent ? → ....

5. où / mes lunettes / sont ? → ....

6. ton ami Jacques / où / travaille ? → ....

7. vous / venez / quand / à la maison ? → ....

8. d'où / téléphonez / est-ce que / vous ? → ....

3 **Change the sentences as in the examples.**

Exemples : Quand dois-tu aller chez le médecin ? → *Tu dois aller chez le médecin quand ? / Quand est-ce que tu dois aller chez le médecin ?*
Où dois-tu aller tout à l'heure ? → *Où est-ce que tu dois aller tout à l'heure ? / Tu dois aller où tout à l'heure ?*

1. D'où viens-tu ? → ....

2. Où achetez-vous votre pain ? → ....

3. Quand finit-elle ses études ? → ....

4. Où ont-ils rendez-vous ? → ....

5. Quand reviens-tu en France ? → ....

6. D'où sortez-vous ? → ....

7. Où tu as trouvé ça ? → ....

8. Quand vous avez vu Ken ? → ....

4 **Translate these sentences into French using a dictionary if needed.**

1. When do you finish your exams? → ....

2. Where do you park your car? In the street? → ....

3. When are they arriving exactly? → ....

4. Where can we hang the new picture? → ....

5. When are you free? → ....

6. Where are these apples from? → ....

5 **Using the answers below write questions with either *où, d'où, quand*.**

Exemple : Nous sommes en pleine forêt. → *Vous êtes où ? / Où est-ce que vous êtes ?*

1. Nous sommes tunisiens, de Monastir. → ....

2. Ces tee-shirts ? Mais ils viennent de Chine ! → ....

3. Il est à la piscine, comme tous les mardis. → ....

4. Le peintre vient mercredi, à dix heures. → ....

5. Elle rentre du Canada en juin. → ....

6. En août ? Je suis au soleil, à Biarritz ! → ....

7. Je suis allé faire un tour à vélo. → ....

8. Ces fraises viennent d'Espagne. → ....

Répète, s'il te plaît !

Repeat please!

- In French there are three related vowel sounds of the **letter -e**:
    - [ə]: a sound called 'schwa' in written English. In English this sound is almost always an unstressed sound in a verb (as in 'computer' [kəm'pju:tər]) but in French it is occasionally stressed.
    - [e]: a closed *e* sound written as *bébé* [bebe] or the English word **E**lisabeth [e].
    - [ɛ]: an open *e* sound such as [ilɛ], written as *il est* or the English word 'bet' [bɛt].

- The schwa sound [ə] is often written as *-e* alone (ie without an accent):

  Je me le demande. [ʒəmələdəmãd] (I ask myself.)

- But *-e* at the end of a word is never pronounced: *livre* [livʀ], *salle* [sal], *je m'appelle* [ʒəmapɛl].

- The **sound [e]** can be represented by different characters:
    - **é**, with an acute accent, as in *l'été* [lete].
    - **e**, without an accent, following **r, z, t** or **d** as the silent letter at the end of a word as in *parler, le nez, le pied...* But *tu es, il est* → [ɛ].

- The **sound [ɛ]** is represented by different characters:
    - **è**, with a grave accent, as in *père* [pɛʀ].
    - **ê**, with a circumflex accent, as in *tête* [tɛt].
    - and without an accent when followed by two differently pronounced consonants: *perte* [pɛʀt], *herbe* [ɛʀb], *veste* [vɛst] or by a pronounced letter *x* [gz]: *exemple* [ɛgzãpl], *exercice* [ɛgzɛʀsis].
    - **ai, ei** as in *paix* [pɛ], *peine* [pɛn]. But *j'ai* → [e].

 To help you remember the different sounds [ə], [e], [ɛ] practice the following sentence:

  Tu répètes [ʀepɛt] *s'il te* [tə] *plaît* [plɛ] ?

1 Listen and underline the words with an open *e* [ɛ]. Then read them aloud.

Exemple : __miel__

hôtel	pierre	départ	problème	boulanger
sept	lettre	perle	nouvelle	métier

 2 Listen and write 1, 2 or 3 under the sounds [e] or [ɛ] when you hear them.

Exemple : Élodie est infirmière. → **1** [e] / **2** [ɛ] / **3** [ɛ]

	[e]	**[ɛ]**
1. Tu peux ré**p**ondre ? →		
2. Not**ez** l**es** noms d**es** participants. →		
3. J'**ai** vu Mich**è**le dans la rue. →		
4. Tu me passes le cahi**er** à carreaux ? →		
5. Notre boulang**è**re ouvre à six heures du matin. →		
6. Le p**è**re de Fabrice **est** chauffeur de taxi. →		

 3 Listen and add the missing letters.

Exemple : Il es… bien, ce roman ? → **Il est** *bien, ce roman ?*

1. Vous vene…………………………… à l'Assemblée générale, le deux mars. C'est sûr ?

2. Franck, tu e……………………………… au lycée ?

3. Pardon, monsieur, vous arrive……………………………… de Montréal ?

4. Bonjour, je cherch……………………………… Alice Vial.

5. J'habit……………………………… 20, avenue Trudaine.

6. Vous reste……………………………… là ?

 4 Listen and add acute or grave accent on *e* when needed.

Exemple : C'est la derniere fois que je te le repete ! → *C'est la dern**iè**re fois que je te le r**épè**te !*

1. Les athletes sont prêts pour la competition.

2. Les etudiants vont jouer une piece de Corneille.

3. Alors, ton sejour en Suede, ça s'est bien passe ?

4. Il y a toujours une premiere fois.

5. À quel etage se trouve le dentiste ?

6. Regarde, un helicoptere se pose sur la terrasse d'en face.

5 Listen and write the imperative in the second person plural.

Exemple : Répète. → **Répétez.**

1. Viens ici ! → ……………………………… ici !

2. Jette ce stylo. → ……………………………… ce stylo.

3. Reste à ta place. → ……………………………… à votre place.

4. Lève-toi, s'il te plaît. → ……………………………… vous, s'il vous plaît.

5. Écoute la chanson. → ……………………………… la chanson.

6. Épèle ton nom. → ……………………………… votre nom.

6 Listen again and underline the schwa sounds [ə], comme *v<u>e</u>nez*.

Comment tu vas ?

How are you doing?

- **Comment** [kɔmɑ̃]

  In French, *comment* is used to ask questions about a person or object's identity, manner or quality:

  > *Comment tu t'appelles? – Je m'appelle Graham.*
  > **(What's your name? My name's Graham.)**
  > *Comment on fait pour sortir d'ici ?*
  > **(How do we get out of here?)**
  > *Comment allez-vous ? – Très bien merci !*
  > **(How are you doing? Very well, thanks!)**

- Questions with *comment* can be made:

  - with *est-ce que* (informal written or spoken French):

    > *Comment est-ce que vous dites « orage » en anglais ?*

  - by keeping the word order the same (informal speech):

    > *Comment vous dites « orage » en anglais ?*

  - by inverting the subject and the verb (formal speech):

    > *Comment dites-vous « orage » en anglais ?*

- **Comme** [kɔm]

  Comme is used:

  - in exclamations: *Comme tu es belle ce soir !* **(How beautiful you are this evening!)**
  - to compare: *Fais comme moi.* **(Do as I do.)** / *Il est comme son père.* **(He is like his father.)**
  - *Comme* also has the meaning 'as if': *C'est comme dans un rêve.* **(It is as if in a dream.)**

---

1 Read the following sentences and then answer by ticking *vrai* or *faux*.

1. Raphaël, comment tu dis *water* en français ?
2. Comment s'appelle le petit ?
3. Comment vous faites pour être toujours de bonne humeur ?
4. Son ami est jaloux comme un pou.
5. Comme c'est beau, ici !
6. Comment tu écris ce mot ?

	Vrai	Faux
a. *Comme* s'utilise pour comparer.	☐	☐
b. *Comment* signifie « de quelle manière » et s'utilise pour poser des questions.	☐	☐

2 Choose the right adjective and make comparisons using *comme*.

Exemple : Il est fort / beau un lion. → *Il est **fort** comme un lion.*

1. Il est *beau / myope* une taupe. *(= a mole)* → ....
2. Il est *lent / bête (= stupid)* une oie. *(= a goose)* → ....
3. Il est *jaloux / beau* un dieu. → ....
4. Il est *têtu (= stubborn) / jaloux* un tigre. → ....
5. Il est *lent / fort* une tortue. *(= a tortoise)* → ....
6. Il est *myope / têtu* une mule. *(= a mule)* → ....

3 Listen to the recording of Exercise 2 and check your answers. These are common sayings in French.

4 Translate the conversation into French.

Édouard reçoit ses amis, Frédéric et Nadia.

Édouard: Hello! How are you? *(aller)* → ....
Frédéric: I'm fine, same as usual. → ....
Nadia: And you Édouard, are you OK? Your new job, how is it? → ....
Édouard: It's interesting but I don't have a lot of free time. → ....
Frédéric: Me too, I'm working a lot at the moment. → ....
Édouard: Come on, let's talk about something else. Let's celebrate getting together like in the good old days. *(allez, parler d'autre chose, au bon vieux temps)* → ....

5 Find the questions.

Exemple : – .... – Je vais bien, merci. → *– **Comment tu vas ?** – Je vais bien, merci.*

1. – ....
 – Mes parents vont bien, merci.
2. – ....
 – Nous venons en métro.
3. – ....
 – Je trouve ton appartement très original.
4. – ....
 – Voilà la recette de la tarte au citron ! Elle est simple.
5. – ....
 – Il s'appelle Clément.
6. – ....
 – Les cerises ? Elles sont bonnes mais très chères !
7. – ....
 – Pour être toujours de bonne humeur ? Je fais comme si tout allait bien !
8. – ....
 – Cette boîte s'ouvre si tu appuies au milieu.

Combien coûte ce sac ?

How much does this bag cost?

- **Combien** is most frequently used in the same way as the English phrase 'how much?' or 'how many?'. *Combien* is most useful when asking the price of something:

  C'est combien les deux boîtes ? (**How much is it for the two boxes?**)
  Tu as payé combien ? (**How much did you pay?**)

  - Used as an adverb, *combien* is followed by *de* to express a quantity with nouns:

    Vous voulez combien de melons ? (**How many melons do you want?**)
    Limoges, c'est à combien de kilomètres ? (**Limoges is how many kilometers [away]?**)

  - *Combien* can also convey the meaning 'to what extent' or 'how':

    J'ai compris combien c'est difficile de travailler la nuit.
    (**I understood how difficult it was to work at night.**)

- **Quel** is an adjective and varies in gender and number. It has four written forms and a single oral form [kɛl]:

	masculine	feminine
singular	Quel [kɛl]	Quelle [kɛl]
plural	Quels [kɛl]	Quelles [kɛl]

- **Quel** can ask a question about the identity or the nature of a term in a sentence. The answer might be in the form of a noun or a pronoun.

  – Quel est votre nom de famille? – Jakab. (**– What is your surname? – Jakab.**)
  – Quels sports pratiquez-vous ? – La marche et la natation.
  (**– What sports do you do? – Walking and swimming.**)

- **Quel** is also used for an exclamation (→67):

  Quel imbécile, ce garçon ! (**What an idiot this boy is!**)

---

1 **Match the questions to the answers.**

Exemple : – Quel est ton prénom ? – Grégoire.

1. – Quelle rue habites-tu ?	**a.** – Le rouge.
2. – Il y a combien d'heures de vol de Vienne à Paris ?	**b.** – Dix ou douze personnes.
3. – Combien de personnes tu vas inviter ?	**c.** – La rue de la Tour, au numéro dix.
4. – Combien c'est cette ampoule de 100 watts ?	**d.** – Environ deux heures.
5. – Quelle couleur tu préfères finalement ?	**e.** – Le quartier du port et la vieille ville.
6. – Quel quartier vous voulez visiter aujourd'hui ?	**f.** – Trois euros cinquante, madame.

2 Write the questions that would match these answers using *quel* or *combien*.

Exemple : Il y a quarante appartements dans mon immeuble.
→ *Combien d'appartements il y a dans ton immeuble ?*

1. Il y a 60 % de reçus à l'examen. → ....

2. Samir a juste six ans. → ....

3. Tu prends la deuxième rue à gauche. → ....

4. J'ai un frère et deux sœurs. → ....

5. Mon activité sportive préférée, c'est le foot. → ....

6. Ça fait un euro quatre-vingts, monsieur. → ....

3 Listen and put the dialogue in the right order.

– Voilà votre billet, madame. → ......

– Bonjour, monsieur ! Un billet aller-retour pour Montreuil, s'il vous plaît. → ......

– Cinq euros quarante. → ......

– C'est combien ? → ......

– Voie 22, madame. → ......

– Ah, au fait, quel est le numéro de la voie ? → ......

4 Complete with *quand* or *combien*, depending on the meaning of the sentences.

Exemple : Quatre croissants au beurre, c'est … ? → *Quatre croissants au beurre, c'est **combien** ?*

1. Tu vas .... à Perpignan ?

2. .... c'est la recharge du portable la moins chère ?

3. Ce poster coûte .... ?

4. Vous partez .... ?

5. C'est .... le prix de ce papier ?

6. .... les Bodinier reviennent du Maroc ?

5 Complete the dialogue.

– Bonjour, monsieur. Vous désirez ?

– Une glace vanille-chocolat, s'il vous plaît.

– ....

– Deux boules.

– ....

– Trois euros.

– Trois euros pour deux boules ? Elles sont chères vos glaces !

6 Make sentences with *quel* using the words below.

Exemple : ton adresse → *Quelle est ton adresse ?*

1. le numéro de ton téléphone portable → ....

2. vos coordonnées, monsieur → ....

3. dernières nouvelles → ....

4. vos plats préférés → ....

5. prix de cette bague → ....

6. le nom de cette rue → ....

On frappe à la porte

Someone is knocking at the door

- In French, *on* is indefinite and used only as a subject. Agreements are the same as for masculine singular. The old-fashioned English word 'one' has some similarities with *on*.

- *On* uses the same pronouns as the other third person singular terms, ie *se* is the reflexive pronoun *(On se dépêche, les enfants !)*, and the possessive adjectives are *son, sa* and *ses (On doit ranger ses affaires sur les étagères.)*.

  There are distinct meanings for on:

- *On* means people in general, people involved here or a group of people.
  > *On doit regarder avant de traverser la rue.* **(You should look before crossing the road.)**
  > *Ici on parle japonais.* **(on = les vendeurs)**

- *On* is used for unidentified person(s), responsible for an action:
  > *On frappe à la porte.* **(Someone's knocking at the door.)**

- *On* can mean *nous* in common speech:
  > *On arrive !* **(We're coming!)**
  > *On frappe avant d'entrer.* **(You knock before entering.)**

REMEMBER!

- When *on* stands for *nous* the possessive adjectives can be *notre, nos*:
  > *On a eu nos bulletins trimestriels hier.*

- When *on* clearly stands for *nous*, meaning more than one person, then the adjectives or past participle can show a plural marker:
  > *Quentin et moi, on est très contents/content de vous revoir.*

1 Read the sentences and tick *vrai* or *faux*.

1. On voudrait des glaces.
2. On a encore deux semaines de cours.
3. On parle russe dans ce magasin.
4. Tiens, on sonne à la porte !
5. En France, généralement, on mange entre sept et huit heures, le soir.
6. On dit que la nouvelle bibliothèque ouvre en mars.

	Vrai	Faux
a. Le pronom *on* correspond toujours à plusieurs personnes.	☐	☐
b. Les verbes sont à la 3ᵉ personne du singulier.	☐	☐

2 Change the sentences by using *on*.

*Exemple : Nous allons à Mimizan, ce week-end → **On va** à Mimizan, ce week-end.*

1. Nous sommes invités au mariage de mon cousin Gaston. Super ! → ....
2. Ici les commerçants parlent allemand. → ....
3. Tu entends ? Quelqu'un crie à côté. → ....
4. Nous arrivons tout de suite. → ....
5. Quand il fait chaud, les gens sortent le soir. → ....
6. Quelqu'un oublie régulièrement de fermer la porte de l'immeuble. → ....

3 Change the sentences by using as a subject: *nous, quelqu'un* or a group of people *les Français, les gens*.

*Exemple : On prend un taxi ? Il est tard. → **Nous prenons** un taxi ? Il est tard.*

1. On demande à voir le chef de rayon. → ....
2. On habite Bruges depuis longtemps désormais ! → ....
3. On a une belle devise : Liberté, Égalité, Fraternité ! → ....
4. On va à la mer, samedi. → ....
5. On invite Magali dimanche ? → ....
6. On proteste à cause de la crise. → ....

4 Complete the sentences using the indications in brackets.

*Exemple : ..., il est tard ! (rentrer, présent) → **On rentre**, il est tard !*

1. .... ces fleurs pour toi. *(livrer, passé composé)*
2. En France, ... l'université à dix-huit ans. *(commencer, présent)*
3. .... d'acheter le journal. *(oublier, passé composé)*
4. Et là, quelle rue .... ? *(prendre, présent)*
5. Pour le Jour de l'An, ... des chocolats en France. *(offrir, présent)*
6. Chérie, ... de la visite ! *(avoir, présent)*

5 Tick the sound of the nasal vowel you hear: [ɛ̃] as in *main*, [ɑ̃] as in *champ*, [ɔ̃] as in *bon*.

*Exemple : **On** a retrouvé mes clés ! [ɔ̃]*

	[ɔ̃]	[ɑ̃]	[ɛ̃]			[ɔ̃]	[ɑ̃]	[ɛ̃]
1.	☐	☐	☐		**4.**	☐	☐	☐
2.	☐	☐	☐		**5.**	☐	☐	☐
3.	☐	☐	☐		**6.**	☐	☐	☐

Un certain sourire

A certain smile

Adjectives that change position (→21) can also change their meaning depending on their position before or after the noun. The examples below illustrate the differences.

- **Ancien**
  Un ancien footballeur: a former footballer
  Un livre ancien: a ancient book

- **Certain**
  Un certain sourire: a certain smile (= particular)
  Une nouvelle certaine: a certain piece of news (= definite, confirmed)

- **Cher**
  Un cher ami (but also *un ami cher*): a dear friend
  Un billet cher: an expensive ticket

- **Curieux**
  Une curieuse affaire: a strange affair
  Un collègue curieux: an inquisitive colleague

- **Grand**
  Un grand général : an important general
  Un homme grand: a tall man (but *un grand arbre*)

- **Jeune**
  Un jeune pilote: a new pilot (= inexperienced)
  Un homme jeune: a young man (= not old) (but we say *un jeune homme = un jeune*)

- **Pauvre**
  Un pauvre homme: a poor man (= for whom we feel sorry)
  Un village pauvre: a poor village (= no money or resources)

- **Petit**
  Une petite fille: a young girl
  Une fille petite: a small girl

- **Seul**
  Une seule place: one place only
  Un enfant seul: a lone child

 Listen and complete the dialogues.

1. – J'ai eu une .... impression quand je l'ai vu.
   – Ah ! Et pourquoi .... ?

2. – Tu as vu la .... salle des fêtes ?
   – Pas encore.
   – C'est un bâtiment rénové, assez beau!

3. – Bruno est un .... homme, un peu timide. Tu le connais ?

– Non, je ne l'ai vu qu'une fois.

4. – Ici on accueille les personnes .... et démunies, mais pour une .... nuit.

– Tu vois, il reste encore beaucoup à faire !

5. – En ce moment, je travaille avec une .... collègue.

– Et elle est bien ?

– Oui, c'est une femme d'une .... intelligence et très professionnelle.

2 Match the pairs of sentences where the adjective changes its meaning depending on the position.

Exemple : Un seul mot et je m'en vais ! / C'est une personne seule et sans ressources. (9, 10 : seul)

1. Le four à micro-ondes plus cher est de meilleure qualité.

2. Mme Rey est une ancienne avocate.

3. C'est une petite fille.

4. Les meubles anciens, tu aimes ?

5. Il vient de perdre une personne chère.

6. Lola est une jeune femme grande et jolie.

7. C'est un homme petit et robuste !

8. Alexandre était un grand général.

9. Un seul mot et je m'en vais !

10. C'est une personne seule et démunie.

Phrases : ....

3 Translate sentences 1 to 6 of Exercise 2 into English.

1. ....

2. ....

3. ....

4. ....

5. ....

6. ....

4 Say the opposite. Choose the adjective with the opposite meaning: *grand, riche, petit, ancien, jeune, nouveau/nouvel.*

Exemple : Voilà mon ancien directeur. → *Voilà mon **nouveau** directeur.*

1. C'était un quartier *pauvre*, à l'ouest de la ville. → ....

2. Monsieur et madame Heratchian tenaient une *petite* boutique de produits du Moyen-Orient.

→ ....

3. Séverin est un *jeune* pilote de l'Armée de l'air. → ....

4. Monsieur Barrière portait toujours un *grand* chapeau. → ....

5. Lui, c'est un *ancien* présentateur de France 2. → ....

6. Lui, c'est le *nouvel* entraîneur de notre équipe. → ....

5 Write six sentences using the words in brackets to help you.

Exemple : (bijou / ancien) → ***Madame d'Esparron possède une collection de bijoux anciens.***

1. *(statue / ancienne)* → C'est une ....

2. *(petite sœur / très timide)* → Nathalie a ....

3. *(voiture / chère, résistante)* → C'est une ....

4. *(billet / seul)* → J'ai un ....

5. *(Charles de Gaulle / homme politique / grand)* → Charles de gaulle était ....

6. *(histoire / curieuse)* → Louis a raconté ....

Il vient de Singapour

He comes from Singapore

- *Venir* (to come) is a very important verb. It is also very flexible and with the addition of the prefix *'de'* or *'re'*, it becomes *devenir* (to become) or *revenir* (to come back).

  The endings of the 1st, 2nd and 3rd persons singular and the 3rd person plural are not pronounced.

Venir [vəniʀ]	
Written	**Spoken**
Je viens	[ʒə vjɛ̃]
Tu viens	[ty vjɛ̃]
Il/Elle vient	[il/ɛl vjɛ̃]
Nous venons	[nu vənɔ̃]
Vous venez	[vu vəne]
Ils/Elles viennent	[il/ɛl vjɛn]

- The past participle is *venu* and the *passé composé* is conjugated with *être*:

  Ils sont venus nous dire bonjour.
  (They came to say hello.)

- The imperative is *viens, venons, venez*:

  Viens chez moi demain. **(Come to my house tomorrow.)**

- The imparfait is formed from the stem *ven-*:

  Il venait souvent à Nantes. **(He used to come to Nantes often.)**

- The future (→46) and the conditional (→11) are formed from the stem *viendr-*:

  Je viendrais avec plaisir, mais je ne peux pas. **(I would come with pleasure, but I cannot.)**

- Using the table above we can form all these verbs, for example:

  Nous venons de l'aéroport. **(We come from the airport.)** / *Il est devenu riche !* **(He has become rich.)**
  Elle revient de Hong Kong demain. **(She comes back from Hong Kong tomorrow.)**

- All this verbs use *être* to form the perfect tense. The verb must agree with the gender and number of the person:

  Elle est venue tard. **(She came late.)** / *Ils sont revenus en taxi.* **(They came back by taxi.)**

THE *PASSÉ RÉCENT*

- In French the verb *venir* can also be used as part of the expression *venir de* = to have just done something:

  Je viens de voir Paul. **(I have just seen Paul.)**
  Sylvie vient de t'appeler. **(Sylvie has just called you.)**

- Other verbs can be used to express the unfolding of an action in its various stages:

  – *aller* + infinitive (→27) expresses an imminent action: *Ça va commencer !* **(It's going to start!)**

  – *être en train de* + infinitive (→23): *Il est en train de travailler.* **(He is working.)**

  – *commencer à/se mettre à* et *finir de* express the beginning and the end of an action:

  Il se met/Il commence à pleuvoir. / Nous avons fini de manger.

1 Listen and link the personal pronouns to the correct phonetic transcription.

Exemple : *Je viens.* → [vjɛ̃]

1. Elles   a. [vjɛn]
2. Tu   b. [vənɔ̃]
3. Vous   c. [vəne]
4. Il   d. [vjɛ̃]
5. Nous

2 Underline the forms of the verb *venir* which express the *passé récent*.

Exemple : ***Il vient de déménager*** *à Reims.*

1. Ils sont venus nous dire « au revoir ».
2. Je viens d'acheter un cadeau pour toi !
3. Édouard vient juste de rentrer.
4. Vous venez de passer une semaine à Chamonix, c'est ça ?
5. Elles viennent de prendre une décision importante.
6. Tu viens d'où ?

3 Replace the *présent* with the *passé récent*.

Exemple : *Vous achetez ce tableau ?* → ***Vous venez d'acheter*** *ce tableau ?*

1. Tu vois les Mercadier ? → ....
2. Nous rencontrons François-Xavier et Marie-Odile au musée. → ....
3. Il finit son stage chez Rond Point. → ....
4. Nos amis achètent une ferme dans le Lubéron. → ....
5. Vous faites des exercices de grammaire ? → ....

4 Make six sentences with *venir de* + infinitive, using the grid below to help you.

Exemple : ***Nous venons de déménager.***

Nous Marie Il Luc et Liliane	venir de	rentrer déménager appeler

5 Answer the questions using *venir de* + infinitive whenever possible.

Exemples : *Qu'est-ce que vous venez de faire ?* → ***Nous venons de ranger la maison.***
Qu'est-ce que vous venez de faire ? → *(= pas possible)*

1. As-tu téléphoné à Inès ? → ....
2. À qui vous écrivez ? → ....
3. Quel temps fait-il à Lisbonne ? → ....
4. La séance commence dans dix minutes ? → ....
5. De qui vous avez parlé ? → ....
6. Avez-vous un euro, s'il vous plaît ? → ....

Gagnez des millions !
Win millions!

Cardinal numbers are used to count and express numerical values.

1 un	**11** onze	**21** vingt-et-un	**80** quatre-vingts
2 deux	**12** douze	**22** vingt-deux	**81** quatre-vingt-un
3 trois	**13** treize	**30** trente	**82** quatre-vingt-deux
4 quatre	**14** quatorze	**31** trente-et-un	**90** quatre-vingt-dix
5 cinq	**15** quinze	**32** trente-et-deux	**91** quatre-vingt-onze
6 six	**16** seize	**40** quarante	**100** cent
7 sept	**17** dix-sept	**50** cinquante	**101** cent un
8 huit	**18** dix-huit	**60** soixante	**200** deux cents
9 neuf	**19** dix-neuf	**70** soixante-dix	**1000** mille
10 dix	**20** vingt	**71** soixante-et-onze	**2000** douze mille
		72 soixante-douze	**1 000 000** un million

- **from 21 to 69:** *vingt et un, trente et un..., vingt-deux, trente-deux, trente-trois...*
- **from 70 to 79:** *soixante et onze, soixante-douze, soixante-treize...*
- **from 80 to 99:** *quatre-vingts, quatre-vingt-un, quatre-vingt-deux...,quatre-vingt-dix, quatre-vingt-douze...*
- **from 100 to a million:**

  After 100 (*cent*), just add the tens and units without preposition or a hyphen.
  - **hundreds:** *cent, deux cents, ... neuf cents...,* but *neuf cent dix/onze/douze...*
  - **thousands** (*mille* and *milliers*): *mille, deux mille, dix mille..., un millier de..., trois milliers de...*

REMEMBER!

The final consonant in *cinq, sept, neuf* is always pronounced.
Six and *dix* are pronounced:

- [sis], [dis]: *cinq, six, sept, huit, neuf, dix...*
- [siz], [diz]: *six euros, dix euros*
- [si], [di]: *six centimes, dix centimes*

Huit is pronounced as follows:

- [ɥit]: *sept, huit, neuf, ... huit enfants*
- [ɥi]: *huit garçons*

⚠ Unlike English, the number goes before the adjective when it is used with an adjective and a noun: *les deux dernières minutes, les trois autres candidats* and not ~~les dernières deux minutes, les autres trois candidats~~.

Ordinal numbers are slightly simpler in French than in English. With the exception of *premier* and *second*, all you need to do is add *-ième* to the cardinal number: *troisième, onzième, vingt-et-unième, centième...*

1 Tick the sound of *six, huit, dix* that you hear.

	6			8		10		
	[sis]	[siz]	[si]	[ɥit]	[ɥi]	[dis]	[diz]	[di]
1. Un, deux, trois, quatre, cinq, *six*, sept, *huit*, neuf, *dix*.	☐	☐	☐	☐	☐	☐	☐	☐
2. Mathias a *six ans*.	☐	☐	☐	☐	☐	☐	☐	☐
3. Il est *dix heures*.	☐	☐	☐	☐	☐	☐	☐	☐
4. *Six minutes* et *dix secondes* avant la fin du match !	☐	☐	☐	☐	☐	☐	☐	☐
5. *Huit élèves* sont arrivés en retard aujourd'hui.	☐	☐	☐	☐	☐	☐	☐	☐
6. J'ai acheté *huit gâteaux* au chocolat, un pour chacun !	☐	☐	☐	☐	☐	☐	☐	☐

2 Listen to the radio presentation of the European Lottery. Then listen again and answer the questions.

1. Le premier tirage de l'Euromillions a eu lieu :
   a. le 3 janvier 2003 ☐   **b.** le 13 février 2004 ☐   **c.** le 16 novembre 2001 ☐

2. Les cinq numéros gagnants de ce premier tirage sont :
   a. le 16 ☐   **b.** le 19 ☐   **c.** le 29 ☐   **d.** le 44 ☐   **e.** le 32 ☐
   f. le 46 ☐   **g.** le 28 ☐   **h.** le 36 ☐   **i.** le 61 ☐   **j.** le 41 ☐

3. Au début les pays participants sont :
   a. trois ☐   **b.** deux ☐   **c.** treize ☐

4. Le record des gains est de :
   a. 120 millions d'euros ☐   **b.** 104 millions d'euros ☐   **c.** 185 millions d'euros ☐

3 Do the maths out loud and write down your answer in words.

Exemples : 13 + 12 = 25 → *treize plus douze égalent vingt-cinq.*
45 − 30 = 15 → *quarante-cinq moins trente égalent quinze.*

1. 7 + 25 = 32 → ....
2. 41 + 32 = 73 → ....
3. 80 + 16 = 96 → ....
4. 37 + 102 = 139 → ....
5. 29 + 30 = 59 → ....

4 Translate into French using a dictionary if necessary.

1. I was born on the 12th of June 1982 and you? → ....
2. In France we remember the Armistice of the First World War on the eleventh of November.
Did you know? → ....
3. That house costs nine hundred and fifty-four thousand euros! It's madness! → ....
4. The papers are almost all two euros or two euros twenty. → ....
5. Sunday is the birthday of my great-grandmother; one hundred and three years! → ....
6. The last two runners are already five minutes behind. → ....

5 Listen to the advert for a department store, then answer the questions.

1. La promotion a lieu au niveau : **a.** 2 ☐   **b.** 1 ☐   **c.** 4 ☐
2. La réduction sur ces articles est au maximum de : **a.** 30 % ☐   **b.** 20 % ☐   **c.** 50 % ☐
3. La cafetière programmable est vendue à : **a.** 29,99 € ☐   **b.** 49,99 € ☐   **c.** 39,99 € ☐

A ou à ?

A or à?

- In French there are three different graphic accents. You may meet:
  - an acute accent (´), as in <u>é</u>t<u>é</u>
  - a grave accent (`), as in p<u>è</u>re
  - a circumflex accent (^), as in h<u>ô</u>pital

- Placed on the letter *e* the different accents change the pronunciation of the letter:
  - *é* is pronounced [e] as in *pré* [pʀe]
  - *è* is pronounced [ɛ] as in *mère* [mɛʀ]
  - *ê* is pronounced [ɛ] as in *fête* [fɛt]

- Placed on other vowels, the accents serve to distinguish words:
  - the preposition *à* and the verb *avoir* in the third person singular *a*:
    *Elle va **à** Strasbourg. / Il **a** dix ans.*
  - the article *la* and the adverb *là*: *La rue des Fleurs est par **là**.*
  - the pronoun *où* (where) and the coordinating conjunction *ou* (or):
    *Tu restes **ou** tu t'en vas ? / **Où** sont les enfants ?*
  - the preposition *sur* (on) and the adjective *sûr* (certain):
    *Le journal est **sur** la table. / Christian est très **sûr** de lui.*

  A circumflex accent over an i replaces the dot on words like: *maître, île*.

- Other marks are as follows:
  - a cedilla (,) placed under a *c* before *a, o* or *u* changes the pronounciation of *c* to [s] as in *leçon* [ləsɔ̃] or *ça* [sa] (→65): *Ça ne se fait pas !*
  - a diareses shows that the vowel on which it is placed is separated in pronunciation from the vowel before it, as in *haïr* ['air], *Noël* [nɔɛl]:
    Héloïse est un très beau prénom. [eloiz]

---

1 Put a grave accent on the *a*, if necessary.

Exemple : Je dois voir Grégoire a deux heures. → *Je dois voir Grégoire **à** deux heures.*

1. Nous sommes allés *a* Venise, *a* Pâques.
2. Nathan *a* rendez-vous avec Arthur *a* la station Opéra.
3. Aziz et Juliette vont *a* la même école.
4. Il y *a* de l'orage dans l'air.
5. Mais qu'est-ce qu'il *a* ? Il n'est pas bien ?
6. Est-ce que Charles *a* une voiture ?

2 Complete with *a* or *à*.

Exemple : Jade ... des amis ... Bruxelles. → *Jade **a** des amis **à** Bruxelles.*

1. Il va .... Deauville toutes les semaines.

2. Maxime .... un petit frère, Christian.

3. Léonie .... un travail intéressant.

4. S'il vous plaît, monsieur, la rue des Petites Écuries, c'est .... droite ou .... gauche ?

5. Il faut faire les courses ; il n'y .... plus rien .... la maison !

6. Je voudrais parler .... la directrice, s'il vous plaît.

7. Il .... des amis en France ?

8. Nous sommes .... la maison aujourd'hui.

3 Put a grave accent on *la*, if necessary.

Exemple : Les clés sont la, sur la porte. → *Les clés sont **là**, sur **la** porte.*

1. La rue des Martyrs est dans le neuvième arrondissement de Paris.

2. Je suis fatigué, je reste la.

3. Alors, la, vous exagérez, mon ami !

4. La route pour Carcassonne est la première, à gauche.

5. Tu es la demain matin ?

6. Ici, notre chambre, la, la chambre des enfants.

7. La publicité est présente partout.

8. Vous avez la les informations nécessaires.

4 Add the missing accents or other signs (cedilla, diareses).

Exemple : Ou a lieu le débat ? → *Où a lieu le débat ?*

1. Comment ca va ? Bien ? → ....

2. Qu'est-ce que tu fais la ? → ....

3. Je telephone ou j'envoie un mail a Martial ? → ....

4. Vous voulez dejeuner maintenant ou plus tard ? → ....

5. Tu as appris ta lecon ? → ....

6. Ou tu fais tes courses ? → ....

7. Regarde ! La facade de cet immeuble est tres belle. → ....

8. Je passe les vacances de Noel a la montagne, cette annee. → ....

5 Listen and complete the text.

Le jardin est grand : .... , ... gauche, il y ....
la petite maison en bois pour les enfants ; ...., droite, le potager avec
des légumes : tomates, salades, etc. ...., ils poussent bien et sans produits
chimiques.
Dans .... partie sud, nous avons des plantes méditerranéennes, un citronnier
et un olivier ; un peu plus loin on .... planté un arbre qui vient des
........................, mais il ne pousse pas bien. Vers le nord, il y ....
du jasmin .... des rosiers. On doit s'........................ du jardin surtout
à la fin de l'hiver. Cette .... par exemple, j'ai taillé mon ....

Il est dix heures dix
It's ten past ten

- In French, there is a category of verbs called "*impersonnels*". They are only conjugated with the pronoun *il*. In this case, *il* does not represent a particular person (he), which is why they are called 'impersonal' forms.

DESCRIBING THE WEATHER

- Impersonal verbs are used to describe many meterological conditions: *pleuvoir, neiger, tonner, geler...*
  > *Il pleut depuis une semaine. / Il a neigé toute la nuit.* **(It rains for a week. / It snowed all night.)**

- To describe the weather we also use the verb *faire* in the impersonal form:
  > *Il fait beau / mauvais / chaud / froid / doux / humide..., Il fait jour / nuit..* **(It's nice/bad...)**
  > *Demain il va faire beau, c'est sûr. / Il fait nuit plus tôt, à cette saison.*

TELLING THE TIME

- The verb *être* with the impersonal form *il* is used to tell the time:
  > *Il est huit heures dix/huit heures moins dix ; huit-heures et quart/moins le quart ; huit heures et demie* (or *huit heures trente*).
  > *Quelle-heure est-il ?* **(What time is it?)** / *Il est cinq heures <u>et demie</u>.* **(It's five thirty.)**
  > *Il est neuf heures <u>et quart</u>.* **(It is quarter past nine.)**

- *Midi* and *minuit* are used for midday and midnight, not *douze heures*.

- To say minutes before the hour we use *moins* (less).
  > *Il est onze heures <u>moins le quart</u>.* **(It's a quarter to eleven.)**
  > *Il est quatre heures <u>moins dix</u>.* **(It's ten to four.)**

- To give approximate time you can use *environ* (around):
  > *Il est environ huit heures.* **(It's about eight.)**

- When time is abbreviated, the letter *h* (for *heures*) is used after the hour. This generally uses the 24 hour clock.
  > *cinq heures vingt* = 5h20 **(5:20 am)** / *dix-sept heures vingt* = 17h20 **(5:20 pm)**

---

1 Choose the correct words to complete the sentences: *il fait très chaud / il a fait du vent / il a plu / il va faire froid / il fait beau / il neige / il fait doux.*

Exemple : ..., ce matin ! → *Il fait doux, ce matin !*

1. Aujourd'hui, ... toute la journée. C'était de la tramontane.

2. Dans mon village des Alpes, ... beaucoup l'hiver. Souvent un mètre !

3. En juillet, ... tout le temps : je n'ai pas quitté mon imperméable !

4. Dans le sud de l'Europe, ... l'été, on arrive à 40° et plus !

5. Couvre-toi ! .... ce matin.

6. Quand ...., on va faire du vélo dans le parc à côté.

2 Conjugate the verbs in brackets in the present indicative.

Exemple : Quand … (pleuvoir), j'oublie toujours mon parapluie.
*→ Quand **il pleut**, j'oublie toujours mon parapluie.*

1. Tiens, ... *(pleuvoir)* très fort, c'est encore un orage !

2. Regardez ! .... *(neiger)* !

3. .... *(être 2h)*, nous pouvons rester encore un peu.

4. Il y a des inondations un peu partout et .... *(pleuvoir)* encore.

5. D'accord. Si demain .... *(faire beau)*, nous allons en forêt.

6. Quand .... très .... *(faire chaud)*, on ne sort pas avant 9 heures du soir.

7. .... déjà .... *(être minuit)*. Au lit !

3 Read these sentences and indicate whether the statements are true or false.

– Quelle heure il est ? – Il est trois heures.

deux heures cinq.

huit heures et quart / huit heures quinze.

neuf heures et demie / neuf heures trente.

cinq heures moins vingt / seize heures quarante.

six heures moins le quart / cinq heures quarante- cinq.

	Vrai	Faux
a. Pour demander et donner l'heure, le verbe *être* est au pluriel.	☐	☐
b. L'heure est indiquée sans article.	☐	☐
c. Après le nombre (3, 2, 8…), on peut ne pas ajouter *heure(s)*.	☐	☐

4 Write the correct time as in the example below.

Exemple : 14h00
*→ expression ordinaire : **Il est deux heures.** / expression « officielle » : **Il est quatorze heures.***

expression ordinaire / expression « officielle »

1. 13h15 → .... / ....

2. 13h40 → .... / ....

3. 21h10 → .... / ....

4. 13h30 → .... / ....

5. 23h45 → .... / ....

6. 18h27 → .... / ....

5 Listen and write 1, 2 or 3 under the sounds [ɛ] as in 'faire' and [œ] as in 'neuf' when you hear them.

[ɛ]	[oe]
1.	....
2.	....
3.	....
4.	....
5.	....
6.	....

Je ne regrette rien !

I don't regret anything!

- In French, there are several ways to express negation, as in English.
  As we have already seen with *ne...pas* (not) and *ne...plus* (no more) (➜*24*),
  the negatives *personne, rien* and *jamais* always have two words:
  ne...personne (nobody), *ne...rien* (nothing) or *ne...jamais* (never):

  *J'ai vu quelqu'un. – Je **n'**ai vu **personne**.*
  *Tu as perdu quelque chose ? – Tu **n'**as **rien** perdu ?*

- *Personne* is used for people (*Quel silence ! Personne ne parle.*)
  and *rien* for inanimate objects (*Tu n'oublies rien ?*).

- *Personne* and *rien* can be either the subject or the direct complement of the verb:

  Personne n'a appelé ? (subject)
  On n'entend plus personne à cette heure. (direct complement)
  Rien ne marche ici. (subject)
  Tu ne vois rien là-bas ? (direct complement)

 Personne, rien and *jamais* take the place of *pas* in negative sentences:

  Je n'invite personne à ma fête. (and not: *Je n'invite ~~pas personne~~ à ma fête.*)
  On n'a rien vu. (and not: *On n'a ~~pas rien~~ vu.*)
  Elle n'est jamais à l'heure. (and not: *Elle n'est ~~pas jamais~~ à l'heure.*)

---

1 Identify the negative elements *ne...plus / jamais / rien / personne*, and then underline the corresponding positive elements in the other half of the sentence.

Exemple : Tu travailles **encore** chez L'Oréal ? – Non, je **n'**y travaille **plus**.

1. Lui, il parle toujours. Elle, elle ne parle jamais.
2. – Tu sors avec quelqu'un, en ce moment ? – Non, je ne sors avec personne.
3. – Il s'intéresse à quelque chose ? – Non, malheureusement, il ne s'intéresse à rien.
4. – Quelqu'un a appelé pour moi ? – Non, personne n'a appelé.
5. – Quelque chose a changé ici? – Non, rien n'a changé.

Exemple : encore ⟶ ne plus

+	**–**
1. toujours	**a.** *ne... plus*
2. quelqu'un	**b.** ne... rien / rien... ne
3. quelque chose	**c.** ne... personne / personne... ne
4. *encore*	**d.** ne... jamais

2 Rewrite the sentences as affirmatives.

Exemple : Il ne sait rien sur cette affaire. → ***Il sait quelque chose sur cette affaire.***

1. Charles-Édouard ne dit jamais non. → ....

2. Personne ne s'oppose à leur projet. → ....

3. Mes amis ne regrettent plus le Maroc. → ....

4. Tu ne penses à rien de particulier ? → ....

5. Émeline n'a consulté personne pour son prêt. → ....

6. Vous n'écoutez jamais les conseils. → ....

3 Match the two parts of each sentence.

Exemple : Rien ne peut / le faire changer d'avis . → ***Rien ne peut le faire changer d'avis.***

1. Tu ne vois plus   **a.** la règle du pluriel des mots composés.

2. Je n'ai jamais compris   **b.** Émilien ? Qu'est-ce qu'il devient ?

3. Pourquoi Alicia ne répond jamais   **c.** bonjour ; c'est désagréable !

4. On n'a plus   **d.** de café. On va boire du thé.

5. Les nouveaux voisins ne disent jamais   **e.** en banlieue. On a déménagé dans le centre-ville.

6. Nous n'habitons plus   **f.** aux mèls ?

4 Write the opposite each time.

Exemples : Vous voulez quelque chose ? → ***Vous ne voulez rien ?***
Quelque chose me dit que j'ai raison. → ***Rien ne me dit que j'ai raison.***

1. Pour ce poste, tu penses à quelqu'un ? → ....

2. Quelque chose peut changer ; j'en suis sûr. → ....

3. Elle propose quelque chose d'intéressant. → ....

4. Vous attendez quelqu'un ? → ....

5. Nous avons quelque chose pour vous. → ....

6. Quelqu'un est au courant de cette histoire ? → ....

5 Make six sentences in the present tense with *ne… jamais* and *ne… plus*, using the information from the grid.

*Exemple : **Ils ne voyagent jamais.***

Ils Arthur Vous	ne… jamais ne… plus	parler voyager *(présent/passé composé)* travailler

6 Make negative sentences with the present indicative of the verbs as in the example.

Exemple : Il / ne jamais avoir froid → ***Il n'a jamais froid.***

1. Anne / ne plus trouver / sa montre → ....

2. Personne / ne savoir / où il est → ....

3. Rien / ne être impossible ! → ....

4. Nous / ne jamais travailler / le dimanche → ....

5. Ils / ne plus avoir peur → ....

6. Tu / ne personne inviter ? → ....

7 Listen to the recording of Exercise 6 and check your answers.

Il vous faut autre chose ?
Do you need anything else?

- Il *faut* (infinitive *falloir*, ' to be necessary', or, 'to need' shows necessity or a need. It is constructed impersonally, with an impersonal subject *il*.

  Falloir is conjugated with the auxiliary *avoir*:

  Il a fallu deux kilos de pommes pour ce gâteau !

  - The indicative present est *il faut*: *Il faut manger pour vivre.*

  - The past participle is *fallu*: *Il a fallu faire vite.*

  - The *imparfait* (→ 52) is *il fallait*:

    Il fallait faire deux kilomètres à pied tous les jours.

  - The future (→ 46) and the conditional (→ 11) are *il faudra, il faudrait*:

    Il faudrait un peu plus d'intelligence parfois.

- *Falloir* has two possible meanings:

  - *falloir* + noun (and not followed by a verb) means that something is necessary or missing. This can also be expressed as *avoir besoin de* and translates as 'to need'.

    Il faut de l'eau pour le voyage. (**You need water for the journey.**)
    Il me faut six œufs. (**I need six eggs.**)
    Il va te falloir de la patience. (**You're going to need patience.**)

  - *falloir* + infinitive (followed by a verb) indicates that it is necessary to act in the way expressed by the verb. In French, it corresponds to *on doit* (devoir), *il est nécessaire/ indispensable de*:

    Il faut boire de l'eau. (**It is necessary to drink water.**)
    Il lui a fallu appeler la police. (**He had to call the police.**)

1 Underline the forms of *falloir*.

Il fait	Il a fallu	Il a fêté
	Il ferait	Il fallait
Il faudrait	Il fêterait	Il faisait
Il a fait		Il ferait
	Il faut	

What are the infinitives of the other verbal forms here ?

....

2 Change the sentences with the words in brackets.

Exemple : *Il me faut une nouvelle tablette.* (avoir besoin) → **J'ai besoin d'une nouvelle tablette.**

1. Il faut attendre. *(être nécessaire de)* → ....

2. Il faut du shampooing ? *(avoir besoin de, on)* → ....

3. Il est nécessaire d'écouter les gens. *(falloir)* → ....

4. Il faut du courage pour faire ça. *(avoir besoin de, on)* → ....

5. Il est indispensable d'être à la maison à huit heures. *(falloir)* → ....

6. Il faut appeler un plombier tout de suite. *(être indispensable de)* → ....

3 Complete with *falloir* in the indicative present following the instructions in brackets.

Exemple : *acheter le journal* (forme interrogative)
→ *Est-ce qu'***il faut** *acheter le journal ? /* **Il faut** *acheter le journal ?*

1. prendre une décision maintenant. *(forme interrogative)* → ....

2. déranger Anne-Marie, elle travaille. *(forme négative)*→ ....

3. deux personnes pour transporter cette armoire. *(forme affirmative)* → ....

4. Les impôts ! oublier de payer. *(forme négative)* → ....

5. réfléchir un peu plus. *(forme affirmative)* → ....

6. des enveloppes blanches. *(forme interrogative)* → ....

4 Replace *il faut* with *on doit* (verb *devoir*) and vice versa.

Exemples : *On doit sortir le chien, n'oublie pas !* → **Il faut** *sortir le chien, n'oublie pas !*
Il faut attendre un peu. → **On doit** *attendre un peu.*

1. Pour ouvrir la porte, on doit tourner la clé doucement. → ....

2. Il faut suivre scrupuleusement les instructions. → ....

3. Comme le tram est plein, il faut attendre le suivant, c'est comme ça ! → ....

4. On doit refuser cette offre, voyons ! → ....

5. Il faut prévenir tout le monde alors. → ....

6. Il faut se quitter. Eh oui ! → ....

5 Make six sentences from the words in the grid.

Exemple : **Il faut appeler** *le Service Clients, entre 9h et 19h.*

Falloir *(au présent)* Devoir *(au présent :* *je dois, nous devons,* *ils/elles doivent)*	appeler faire vite acheter rester	le Service Clients, entre 9h et 19h du jus de fruit et du pain calme/s

À la saison des fleurs
In the season of flowers

● **Day**
In French, the names of the days of the week are used in the following manner (where English would use the preposition "on"):

● without a preposition:
– to express a day in the current week: *Dimanche, nous allons pique-niquer.* (<u>On</u> Sunday…)

– to indicate which day of the week it is today:
*On est/nous sommes **lundi, mardi, mercredi**…* (Today it's Monday, Tuesday, Wednesday…)

● with *ce/cet, cette*: *Ce samedi, il y a une manifestation.* (<u>On</u> Saturday…)
***Ce mardi**, j'ai cours d'allemand.* (<u>On</u> Tuesday…)
– as in English, for the parts of the day, week or month: *ce matin, cet(te) après-midi, ce soir, cette nuit* or *cette semaine, ce mois…: D'accord ! On va au cinéma ce soir.*

● with a definite article:
– to express an habitual or repeated action:
***Le dimanche**, je dîne chez mes parents. / **Le matin** je me lève à huit heures.*
(On Sunday I have dinner at my parents' house. / In the morning I get up at eight.)

● **Season**
● Seasons are usually expressed with the preposition *en*:
***En** été, **en** automne et **en** hiver, c'est toujours pareil : il pleut !* (In summer, in autumn, in winter…)

With one exception: *Mais **au** printemps il fait beau !* (in spring)

● **Date**
● The date is expressed differently in French. It is usually expressed with the definite article and the cardinal number. These always precede the month:
*Aujourd'hui on est **le 10 janvier**.* (Today is January 10th.)
***Le 12 janvier**, je pars en Australie.* (On January 12th, I leave for Australia.)
*Je peux attendre jusqu'**au 15 mars**.* (I can wait until March 15th.)

● To indicate an event that occurs or will occur in a particular month or year, we use *en* + name of the month/year or *au mois de* + name of the month:
*Je suis arrivé ici **en juin/au mois de juin**.* (I came here in June/in the month of June.)
*Je vais rentrer en France **en janvier/au mois de janvier**.* (I'm going to go back to France in January.)
*Je suis née **en 2001**.* (I was born in 2001.)

● **Time**
● The time is indicated with *être* in the impersonal *il* form (→37) or the preposition *à*:
Il est une heure. / Il est midi. / Il est trois heures et demie. / Il est minuit.
Les cours commencent à huit heures et quart. / Mon train part à dix heures dix.

● French uses the 24 hour clock more frequently that English:
*Le rendez-vous est **à 15h**. (or à 3h) / La séance commence **à 20h10**. (or à 8h10)*
(The appointment is for 3 pm. / The show starts at 8.10 pm.)

1 Read these sentences and underline the words that indicate the day, month, time or year.

Exemple : Auparavant, l'école commençait <u>au mois d'octobre</u>.

1. En France, on déménage en septembre, d'habitude.
2. Le 17 mars, on fête la Saint Patrick.
3. De 1957 à 2007, les pays de l'Union Européenne sont passés de six à vingt-sept.
4. Mardi, j'ai rendez-vous avec Paola.
5. Monsieur Tonnelier sort son chien tous les jours, à sept heures précises.
6. On met des fertilisants dans notre jardin au printemps et en automne.

2 Answer the questions.

Exemple : : Tu es né/e quand ? → **Je suis né le 20 juin 1995.**

1. Quel jour on est aujourd'hui ? → ....
2. En quelle année a commencé la Seconde Guerre Mondiale ? *(1939)* → ....
3. Jusqu'à quel jour peut-on s'inscrire aux cours de théâtre ? *(25/10)* → ....
4. L'élection du Président de la République, c'était. *(mai)* → ....
5. Quel jour est-ce qu'on célèbre la Journée européenne des langues ? *(26/09)* → ....
6. En quelle année tu t'es installé en France ? *(2014)* → ....

3 Match the two parts of each sentence.

Exemple : : Gautier est / arrivé ce matin → **Gautier est arrivé ce matin.**

1. Stanislas et Myriam se sont   **a.** la fête du Beaujolais nouveau.
2. Vous êtes   **b.** mariés le 14 novembre 2009.
3. Il est   **c.** rentrés à Paris le 20, c'est ça ?
4. Où étiez-vous   **d.** dîné chez les Guyot.
5. Au mois de novembre, le jeudi, c'est **e.** le 31 juillet à dix-neuf heures ?
6. Hier soir, on a   **f.** huit heures et demie, déjà !

4 Translate these sentences into French using a dictionary if necessary.

1. The car is ready at 2pm. Can you go and get it? → ....
2. We came here in 2010 in August. → ....
3. Is today Tuesday or Wednesday? → ....
4. The Belgian national holiday is the 21st of July. → ....
5. In spring the schoolchildren have two weeks holiday. → ....
6. On 12th July 1998 France won the Football World Cup. → ....

 5 Put this conversation into the right order. Then listen to the recording and check your answers.

Conversation entre Adrien et son épouse Anaïs.

– Tu sais, on peut payer par Internet et on a jusqu'à la fin du mois. → ...

– C'est normal, nos revenus aussi ont augmenté ! → ...

– On demandera de l'aide à Lucas ; lui, il sait tout faire sur Internet. → ...

– Avec ou sans Internet, de toute façon, cette année on a environ cinq pour cent de plus à payer. → ...

– Oui, c'est vrai, mais on ne l'a jamais fait par Internet. → ...

– Oh là là ! On est déjà le dix ! On doit payer les impôts le 15 mai au plus tard. Il ne faut pas oublier. → **1**

Je le connais
I know him

- The object forms of the personal pronouns (COD = *complément d'objet direct*, COI = *complément d'objet indirect*) are different to the subject forms, as also in English.

Person	Subject (nominative pronoun)	Subject (disjunctive pronoun)	Direct Object (accusative)	Indirect Object
1st person singular	Je	Moi	Me	Me
2nd person singular	Tu	Toi	Te	Te
3st person singular	Il/Elle	Lui/Elle	Le/La	Lui
1st person plural	Nous	Nous	Nous	Nous
2nd person plural	Vous	Vous	Vous	Vous
3st person plural	Ils/Elles	Eux/Elles	Les	Leur

- *Me, te, le/la → m', t', l'* before a word beginning with a vowel, *y* or with a silent *h*.
  Christian ? On l'a vu dans la rue tout à l'heure.

- The form *les* is used to refer to masculine and feminine plural nouns:
  Ses amis, Hamid les invite tous chez lui. (masculine plural noun)
  Les fraises, je les mets au frigo ? (feminine plural noun)

- The pronouns *le* and *les* do not combine with *à* and *de* as the definite articles *le* and *les* do:
  Tu es obligé de les inviter. And not *Tu es obligé des inviter.*
  Je ne tiens pas à le voir. And not *Je ne tiens pas au voir.*

- The only difference between the direct and indirect object forms are in the third person singular and plural where the indirect object forms *lui* and *leur* replace the direct object forms *le/la* and *les*: *On lui envoie une carte postale ?* (lui = à Léo or à Marie)

- The forms *me, te* etc. become *moi, toi* etc. in the positive imperative:
  Appelle-moi demain. / Dites-moi la vérité !

- The form *le* can be used to refer to a verb or a sentence that has already been expressed:
  Laver la voiture ? Bien sûr, je le fais tout de suite. (Wash the car? I'll do it right away.)
  On le savait. (We knew it.)

- The COD and COI personal pronouns are placed:
  - before the verb (or the auxiliary for compound forms).
    Tu le vois souvent ? / Je l'ai déjà vu, ce film. / Je leur écrit souvent. / Il lui a envoyé des fleurs.
  - before an infinitive.
    Il faut les laisser tranquilles. / Tu dois m'accompagner à la gare. / Il faut lui parler clairement.
  - after the verb for a positive imperative.
    Appelez-les tout de suite. / Regarde-moi dans les yeux ! / Dis-lui ce que tu penses.

- *Me, te, nous* and *vous* are all reflexive forms as well (→43):
  Nous nous réveillons tôt. (reflexive form) / *Il nous regarde, pourquoi ?* (object form)

1 Change the personal pronoun *complément d'objet direct* or *indirect* for the person in brackets.

Exemple : Nous t'avons vu de loin, hier. (il) → *Nous l'avons vu de loin, hier.*

1. Nous lui téléphonons tous les jours. *(ils)* → ....

2. Ils nous invitent dans leur maison de campagne. *(je)* → ....

3. Elle vous regarde fixement. Pourquoi donc ? *(tu)* → ....

4. Entendu, nous leur communiquons le changement de date. *(elle)* → ....

5. Appelle-la au bureau alors. *(nous)* → ....

6. Faites-lui de la place. *(elles)* → ....

2 Translate these sentences into French using a dictionary if necessary.

1. Vincent? We're seeing him soon, aren't we? *(bientôt)* → ....

2. This plant needs water, I'll water it right away. *(arroser)* → ....

3. Hélène's not feeling well. Call her. *(aller bien, appeler)* → ....

4. The grapes? We'll get them tomorrow. *(le raisin, acheter)* → ....

5. Send us your new adress. *(envoyer)* → ....

6. A passer-by showed us the way. *(le chemin)* → ....

3 Replace the words in italics with the correct personal pronoun.

Exemple : Ils connaissent bien cette région. → *Ils la connaissent bien.*

1. Quittez *la salle* immédiatement, s'il vous plaît ! → ....

2. On va voir *l'exposition Turner* demain. → ....

3. Vous répétez *aux enfants* les mêmes choses. → ....

4. Finalement, madame Mavel a appelé *le docteur*. → ....

5. Ils demandent *à leur oncle* de leur raconter sa vie. → ....

6. Nous apprécions beaucoup *sa sincérité*. → ....

4 Listen to the recording of Exercise 3 and check your answers.

5 Put the *COD* pronoun at the right place in the sentence.

Exemple : Il aime bien. (tu) → *Il t'aime bien.*

1. Je présente à mes amis. *(vous)* → ....

2. Il offre de beaux cadeaux. *(nous)* → ....

3. Elle a écouté avec attention. *(il)* → ....

4. Ils téléphonent plus tard. *(tu)* → ....

5. Accompagne à la Poste ! Tu veux bien ? *(je)* → ....

6. On a parlé de toi. *(ils)* → ....

6 Answer the questions using personal pronouns *COD* or *COI*.

Exemple : Tu as vu Stéphane ? → *Oui, je l'ai vu hier.*

1. On met ce fauteuil devant la télé ? → ....

2. Vous remplissez ces fiches, s'il vous plaît ? → ....

3. Tu regardes l'émission du samedi soir ? → ....

4. À qui vous avez demandé ces informations, à la secrétaire ? → ....

5. Tu as salué monsieur Marceau ? → ....

6. Est-ce que vous avez expliqué la situation à Alexandre ? → ....

Elle est arrivée
She has arrived

- French uses two auxiliary verbs: *être* (to be) and *avoir* (to have). When followed by the past participle, these are used to conjugate some past tenses, like the *passé composé* and form the passive voice as well.

- The following verbs are conjugated with the auxiliary verb *être*. The past participle (also listed) must agree in gender and number with the subject. All other verbs use *avoir* for conjugation in the *passé composé*.

Verb		Past participle	Verb		Past participle
aller	to go	*allé*	partir	to leave	*parti*
arriver	to arrive	*arrivé*	rentrer	to go home, to return	*rentré*
descendre	to descend	*descendu*	rester	to stay	*resté*
devenir	to become	*devenu*	retourner	to return	*retourné*
entrer	to enter	*entré*	revenir	to come back	*revenu*
monter	to go up	*monté*	sortir	to exit	*sorti*
mourir	to die	*mort*	tomber	to fall	*tombé*
naître	to be born	*né*	venir	to come	*venu*

> **Ils** *sont allés à la mer, dimanche.*
> **Elle** *est entrée dans la boutique mais* **elle** *est sortie tout de suite.*
> **Vous** *êtes tombée,* **madame** *? Vous avez besoin d'aide ?*

- The auxiliary of *être* and *avoir* is *avoir*:
> *Elle a été contente de les voir. / J'ai eu une belle nouvelle ce matin.*

- *Passer* can be conjugated with either *être* or *avoir* in the *passé composé* with different meanings:
> *Nous sommes passés par Lyon.* (**We went via Lyon.**)
> *J'ai passé trois jours à Biarritz.* (**I spent three days at Biarritz.**)

- *Monter* and *descendre* can also be conjugated with *avoir* when they have an object:
> *J'ai descendu la valise ! Elle est lourde !* (*descendre* = **transitive verb with** *la valise* **as COD**)

1 Change the subject as shown and the rest of the sentence if necessary.

Exemple : Il est reparti tout de suite. (nous) → ***Nous sommes repartis tout de suite.***

1. Nous sommes allés faire les vendanges en Bourgogne. *(ils)* → ....
2. Nos voisins sont descendus dans le Midi pour le Nouvel An ! *(notre voisin)* → ....
3. Tu es allée quelque part ces derniers temps ? *(Martine)* → ....
4. La vente des portables a été importante, ce mois-ci. *(les ventes)* → ....
5. Les Kerlakhian sont restés toute la journée avec nous. *(Monsieur Kerlakhian)* → ....
6. Jocelyn est arrivé hier soir. *(nous)* → ....

2 Match the two parts of each sentence.

Exemple : Myriam et moi, nous / sommes nés le même jour.
→ ***Myriam et moi, nous sommes nés le même jour.***

1. Voltaire   **a.** es allé en Angleterre, finalement ?
2. Julien, tu   **b.** sommes allés voir notre tante, dimanche.
3. Ma petite chatte   **c.** est tombée de la fenêtre.
4. Nous   **d.** est montée à pied, l'ascenseur était en panne.
5. Ils   **e.** sont venus pour le défilé du 14 juillet.
6. Elle   **f.** est né en 1694 à Paris.

3 Listen to the recording of Exercise 2 and check your answers.

4 Rewrite the sentences into the present.

Exemple : J'ai été assez satisfait des résultats. → ***Je suis assez satisfait des résultats.***

1. J'ai écrit un message à Bertrand pour sa fête. → ....
2. Nos amis sont allés au Canada, à Vancouver. → ....
3. Tu as réussi à le convaincre, toi ? → ....
4. La diffusion de cette nouvelle a été rapide. → ....
5. Vous avez eu un appel de Khiva, en Ouzbékistan, monsieur. → ....
6. Les déménageurs ont descendu les meubles par la fenêtre. → ....

5 Translate these sentences into English using a dictionary if necessary.

1. Frédéric est tombé du vélo. → ....
2. Par quelle porte vous êtes entrés ? → ....
3. Mes collègues sont très aimables avec moi. → ....
4. Zoé, tu es allée à Brest récemment ? → ....
5. Nous sommes restés deux semaines à Nouméa. Super ! → ....
6. Par où est-ce que vous êtes passés ? → ....

6 Change from the present to the *passé composé.*

Exemple : Boris rentre à Saint-Pétersbourg. → *Boris **est rentré** à Saint-Pétersbourg.*

1. Tu sais, Marion sort avec Luc. → ....
2. Il revient de Lausanne. → ....
3. Pauline, tu descends à quelle station ? → ....
4. Nous allons chez les Helmer, à Mimizan. → ....
5. Elles partent à 19h30, de la Gare de l'Est. → ....
6. René et Pierre viennent nous dire bonjour. → ....

Je me souviens

I remember

- Reflexive verbs are characterized by the presence of a specific pronoun at the same person as the subject, for example :
Je me lave. (I wash myself.), etc.
English often omits the reflexive pronoun where French would include it. In French, a reflexive verb uses the following construction, depending on the person of the subject:

Personal pronoun	Reflexive pronoun	Verbs *se réveiller, se souvenir de, se promener, se disputer, se sentir bien/mal, se ressembler*	
Je	me	*Je me réveille tôt..*	I wake up early.
Tu	te	*Tu te souviens de Pierre ?*	You remember Pierre ?
Il/Elle/On	se	*Il/Elle/On se promène dans le parc.* *On s'habitue à cette ville.*	He/She walks in the park. We get used to this town.
Nous	nous	*Nous nous disputons toujours.*	We still argue.
Vous	vous	*Vous vous sentez bien ?*	Are you feeling alright ?
Ils/Elles	se	*Ils/Elles se ressemblent beaucoup.*	They look very similar.

- Other common reflexive verbs are: *s'appeler* (to be called), *s'étonner* (to be surprised), *s'excuser* (to excuse oneself), *se fâcher* (to get angry), *se marier* (to get married), *se méfier (de)* (to be wary (of)), *se moquer (de)* (to mock, to make fun of), *se rappeler* (to remember),
se rendre compte (de) (to realise), *se réveiller* (to wake up) *and se taire* (to go quiet).
    Mais tu te rends compte que c'est grave, ça ?
- The imperative form uses a hyphen between the verb and the pronoun:
    Couche-toi, il est tard ! **(Go to bed, it's late!)**
- If the reflexive is put in the negative in the present tense, the negative form *ne* goes before the reflexive pronoun and *pas* after the verb:
    Je ne me couche pas avant minuit. **(I don't go to bed before midnight.)**
    Ils ne se voient jamais. **(They never see each other.)**
    Elle ne se souvient de rien. **(She remembers nothing.)**
- In the *passé composé* of the verbs presented above the appropriate form of the verb *être* acts as the auxiliary and the verb must agree with the person in number and gender:
    Elle s'est lavée. **(She washed herself.)**
    Nous nous sommes regardés. **(We looked at each other.)**

1 Match the subject with the rest of the sentence.

*Exemple : Ils / s'habillent en vitesse. → **Ils s'habillent en vitesse.***

1. Clément
2. Les voyageurs du train
3. Nous
4. Les deux sœurs
5. Vous
6. Dis, Aurélien,

a. se lave à l'eau froide, le matin.
b. se ressemblent beaucoup.
c. vous levez à midi, le dimanche ? Vraiment ?
d. tu te couches à quelle heure, d'habitude ?
e. nous occupons des courses. D'accord ?
f. se plaignent du retard.

2 Complete the reflexive verbs with the correct pronoun.

Exemple : Ils … informent sur les horaires d'ouverture du musée.
*→ **Ils s'informent** sur les horaires d'ouverture du musée.*

1. On .... tait, maintenant !
2. Maximilien .... excuse pour son retard.
3. Laure et Serge .... quittent ; c'est décidé.
4. Clovis est petit ; il ne .... rend pas compte du danger.
5. Tu .... dépêches ?
6. Vous .... trompez, je vous dis !

3 Put the words in the right order. Then listen to the recording and check your answers.

Exemple : et Séverin / se / Pauline / devant le lycée / rencontrent
*→ **Pauline et Séverin se rencontrent devant le lycée.***

1. comment / ton / s'appelle / copain ? → ....
2. promène souvent / je / me / le long du Canal Saint Martin. Super ! → ....
3. nous / étonnons / nous / de sa visite. → ....
4. se / perdent / des randonneurs / dans la forêt, / quand il y a du brouillard.
→ ....
5. Dis, je / comment / ce matin ? / habille / m' → ....
6. réveilles / te / tu / à quelle heure ? / demain → ....

4 Translate these sentences into French, using a dictionary if necessary.

1. Serge always argues with his little brother. *(son petit frère)* → ....
2. The cars stop at the traffic light. → ....
3. We go to bed around midnight. → ....
4. You're making a mistake! → ....
5. The runners are approaching the finish line. *(s'approcher de)* → ....
6. Morgane is getting used to the southern climate. → ....

5 Change the sentences as shown.

*Exemple : Tu te trompes. C'est tout. (elle) → **Elle se trompe. C'est tout.***

1. Nous te félicitons de ta promotion ! *(je)* → ....
2. Sans plan, on va se perdre dans cette ville ! *(vous)* → ....
3. Est-ce que vous vous baignez, quand vous allez à la mer ? *(tu)* → ....
4. Il s'est adressé au Bureau des objets trouvés, pour sa valise. *(ils)* → ....
5. Mon père s'occupe d'import-export. *(on)* → ....
6. Je m'installe dans mon appartement en août. *(ils)* → ....

La fin du monde ?

The end of the world?

- **Élision** is present before all words starting with a vowel *(l'Ouest)* and before all words which start with a silent *h (muet): l'huile, l'habitant...* However there is no elision before an "aspirated" *h (aspiré),* as in: *la haine, le héros, les haricots, le hasard, le hangar, huit...*

  - The grammatical terms *je, me, te, se, le, ce, de, ne* and *que* are elided.
  - *Ce* is elided before a vowel if it is a pronoun *(C'est vrai.).* However, *ce* becomes *cet* if it is a demonstrative adjective *(Cet individu n'est pas dangereux.).*
  - *La* (as an article and as a pronoun) is elided *(l'amie / Je l'aime bien, elle).*

- **Liaison** *(liaison)* is a phonetic phenomenon that joins two sounds. A silent final consonant is generally pronounced in front of a word starting with a vowel: *petit ami* [pətitami], *un an* [ɛ̃nɑ̃], *premier avril* [prəmiɛʀavril]...

  - In a *liaison*, if the final consonant is *-s* or *–x,* it is pronounced as [z]: *dix ans* [dizɑ̃], *les enfants* [lezɑ̃fɑ̃]. *-f* is generally pronounced as [v], as in *neuf heures,* but the sound [f] remains unchanged in, for example, *neuf enfants.*
  - A *liaison* is required between words that make up part of the nominal group: *les anciens amis.* As well as between the subject pronoun and the verb: *Vous avez raison.*
  - In several situations, *liaison* is optional. Some grammar specialists consider it better to say *ils reviennent ensemble,* whereas others believe *ils reviennent ensemble* is the preferred pronounciation.

- **Other phonetic phenomena** that influence grammar are as follows:
  - The words *ma, ta, sa* (feminine possessive adjective) change to in *mon, ton, son* before an initial vowel (→*19*): *Mon année de naissance est 1982.* (and not ~~ma année~~)
  - The combination (or *contraction*) of the definite articles *le* and *les* (but not *la*) with the preposition *à* and *de* (→*5*): *au = à + le, aux = à + les, du = de + le, des = de + les*
  - The plural indefinite article *des* becomes *de* before a plural adjective:
    On a des enfants sympathiques. / On a de sympathiques enfants.
    J'ai des nouvelles excellentes à vous donner. / J'ai d'excellentes nouvelles à vous donner.

1 Listen and put in the apostrophe where necessary.

Exemple : Le oranger *du jardin a beaucoup de fruits, cette année.*
→ **L'oranger** *du jardin a beaucoup de fruits, cette année.*

1. *La école* de la rue Lamartine va être agrandie pour la rentrée. → ....
2. *Le hangar* derrière le marché couvert a brûlé cette nuit. → ....
3. Coralie, nous *la avons* vue dimanche. → ....
4. *Ce était* la fin du mois *de août* quand on se est quitté. → ....
5. Dans *le avenir*, la prévention de certains accidents du travail sera développée. → ....
6. *La autonomie* est un facteur important pour les chercheurs. → ....
7. *Le orage* s'est calmé, heureusement. → ....
8. Nous nous sommes retrouvés dans le hall de *le hôtel*. → ....

2 Put the words in italics in the singular and change the sentence so that it agrees.

Exemple : Les amis de Léa sont à l'étranger ; nous ne les avons plus revus.
→ **L'ami de Léa est** à l'étranger ; nous ne **l'**avons plus **revu.**

1. *Les enfants* jouent dans la cour, même s'il pleut. → ....
2. *Les individus* sont entrés par la fenêtre. → ....
3. *Nous avons* passé une belle soirée avec vous ! → ....
4. *Les émissions* de gaz carbonique ne diminuent pas assez vite. → ....
5. *Les arbres* là-bas, ce sont des cerisiers. → ....
6. *Ces tableaux,* je les aime bien ! → ....

3 Listen and tick the box under the sound of the liaison you hear: [z] or [t] .

Exemple : Il est déjà deu**x h**eures. → [z]

	[z]	[t]		[z]	[t]		[z]	[t]
1.	☐	☐	**3.**	☐	☐	**5.**	☐	☐
2.	☐	☐	**4.**	☐	☐	**6.**	☐	☐

4 Listen and complete with the missing consonant. Then repeat the sentences aloud.

Exemple : Le premie… octobre, c'est l'anniversaire de Michel.
→ Le premie**r** octobre, c'est l'anniversaire de Michel.

1. La réunion de chantier aura lieu le hui…octobre, à midi.
2. So… histoire est incroyable !
3. Je sors vers neu… heures, demain.
4. Vous deux, devant ; Paul et Daniel, au milieu, et les si… autres à l'arrière du bus.
5. Le dernie… enfant des Jarreau a juste u… an.
6. Comment elle s'appelle to… amie ?

5 Add the preposition and article in front of the nouns.

Exemple : La couleur … ciel est splendide, ce matin ! (m.s). → La couleur **du ciel** est splendide, ce matin !

1. L'enregistrement ..... *bagages* est ouvert deux heures avant le départ. *(m. pl.)*
2. Les travaux ..... *rue* de Douai vont durer un mois. *(f. sing.)*
3. Thierry s'intéresse ..... *nouvelles technologies* ; il adore ça ! *(f. pl.)*
4. J'ai participé ..... *marathon* de Paris ; je suis arrivé parmi les vingt premiers ! *(m. sing.)*
5. Le digicode ..... *porte* d'entrée est cassé ; ce n'est pas étonnant ! *(f. sing.)*
6. Ce café vient ..... *Salvador* ; il est excellent ! *(m.sing.)*

Qu'est-ce que vous dites ?

What are you saying?

● The verb *dire* has two stems in the present indicative: *di-* and *dis-*, and the form *dites* in the second person plural.
The full pronunciation is shown below:

Personal	Spoken	Written
1st person singular		Je **dis**
2nd person singular	[di]	Tu dis
3rd person singular		Il/Elle dit
1st person plural	[dizɔ̃]	Nous **dis**ons
2nd person plural	[dit]	Vous dites
3rd person plural	[diz]	Ils/Elles disent

The endings of the first, second and third person singular as well as the third person plural are not pronounced.

● The past participle is *dit*: *J'ai dit toute la vérité.*

● The imperative is *dis, disons, dites*:
Dites donc, qu'est-ce que vous êtes en train de faire ?

● The *imparfait* is formed with the stem *dis-* [diz] (→ *52*):
Qu'est-ce que tu disais ? / Ils disaient toujours oui.

● The future and the conditional are formed from the stem *dir-* [diʀ] (→ *46 and 11*):
Je te dirai ça demain.
On dirait que tout va bien pour eux.

 The second person plural form **dites** is irregular in the same way as *vous faites* is the equivalent form of *faire* and *vous êtes* is for *être*.
The phrase *dire de* + infinitive is used to express a demand, a piece of advice or an invitation:
Dis-lui d'arrêter de faire du bruit. **(Tell him to stop making noise.)**

1 Listen to the present indicative forms of *dire* and choose the right answer.

À l'oral, il y a   **a.** 4 formes ☐   **b.** 5 formes ☐   **c.** 3 formes ☐

2 Listen to the conversation and choose the forms you hear. Then listen again and answer the questions.

Dites ☐   Elle dirait ☐   Nous disons ☐   Ne dis rien ☐
Dis-moi ☐   Dire ☐   On ne dit rien ☐   Elle dit ☐

1. De quoi parlent les deux jeunes femmes ?
a. d'un achat ☐   **b.** d'un cadeau ☐   **c.** d'un travail ☐

2. Comment s'appelle la personne dont on parle ?
a. Francine ☐   **b.** Florence ☐   **c.** Flore ☐

3. À quoi pensent ses deux amies ?
a. à un abonnement aux musées ☐   **b.** à un parfum ☐   **c.** à un séjour dans une ville ☐

3 Change the sentences as in the example.

Exemple : Dis ce que tu penses ! (vous) → ***Dites ce que vous pensez !***

1. Il n'a jamais dit des choses pareilles. *(on)* → ....
2. Qu'est-ce que vous diriez, vous, dans ce cas là ? *(tu)* → ....
3. On m'a dit qu'il y a un peu d'attente. *(ils)* → ....
4. Ce que tu dis n'est pas exact ! *(vous)* → ....
5. Je ne dis rien. *(nous)* → ....
6. Mais oui ! Maintenant nous allons te dire ce qui s'est passé. *(je)* → ....
7. Il dira oui, c'est sûr. *(elles)* → ....
8. Alors, tu dis que ce n'est pas vrai. *(vous)* → ....

4 Complete with the correct form of *dire* as in the example.

Exemple : Qu'est-ce que tu .... d'aller au restaurant, ce soir ? (conditionnel)
→ *Qu'est-ce que **tu dirais** d'aller au restaurant, ce soir ?*

1. Qu'est-ce que tu .... ? Je n'entends pas. *(passé composé)*
2. .... donc, tu as l'air super en forme ! *(impératif, tu)*
3. Les jeunes .... « tu » à tout le monde. *(présent)*
4. Excusez-moi ! Je ne comprends pas ce que vous .... *(présent)*
5. Ne .... pas de bêtises, s'il vous plaît ! *(impératif, vous)*
6. Il .... qu'il voulait partir au Brésil. *(passé composé)*
7. On .... que le ciel se couvre ! *(conditionnel)*
8. Le témoin n'........ rien .... de plus. *(passé composé)*

5 Translate into French using a dictionary if necessary.

1. What were you saying? *(use the tu form)* → ....
2. Don't say anything to anyone, OK! *(use the vous form)* → ....
3. Sorry! Did you say something? → ....
4. My grandparents said life was difficult. → ....
5. What are you going to tell me now? → ....
6. In your place I'd say yes. → ....

Où est-ce que tu iras ?

Where will you go?

- In French there are several ways to indicate the future.
  These include the *futur proche* (→27) and the *futur (simple)*.

- To form the *futur* in French, we take the infinitive and add the appropriate ending, as for the conditionnel: *parler → je parler-ai.*

  Je parlerai personnellement à Ben. (I will speak personally to Ben.)

  If the infinitive ends in a silent *-e*, this *-e* is not used to form the future tense: *prendre → je prendr-ai.*
  The future endings are the same for all verbs.

Personal	Ending	Verbs *manger, prendre, écrire, croire, partir, sortir*	
Je	*-ai*	*Je **manger**ai quelque chose plus tard.*	I will eat…
Tu	*-as*	*Tu **prendr**as soin de toi, d'accord ?*	You will take …
Il/elle	*-a*	*Il **écrir**a bientôt ses mémoires.* *On **écrir**a à Martine demain.*	He will write… We will write…
Nous	*-ons*	*Nous ne **croir**ons jamais à ça !*	We will (never) believe…
Vous	*-ez*	*Vous **partir**ez par quel train ?*	You will leave …
Ils/elles	*-ont*	*Ils **sortir**ont d'affaire, certainement.*	They will get out…

- The following are some of the most common verbs which do not use the infinitive to form the future:

Avoir : j'**au**rai	Faire : je **fe**rai
Aller : j'**i**rai	Venir : je **viendr**ai
Devoir : je **devr**ai	Vouloir : je **voudr**ai
Être : je **se**rai	Falloir : il **faudra**
Savoir : je **saur**ai	Pouvoir : je **pourr**ai

  *On **verra** les résultats plus tard.* (We will see the results later.)
  *Demain, nous **serons** à Genève.* (Tomorrow we will be in Geneva.)

- In colloquial French we normally use the *futur proche* instead of the future, even if the action described is a long way in the future.

  Le spectacle va commencer dans cinq minutes. (Action will take place in the near future)
  The show is going to start in five minutes.

  Je vais prendre ma retraite dans deux ans. (Action will take place in the distant future)
  I am going to retire in two years.

1 Underline the verbs in the future.

Exemple : Quand finiront les travaux ? Tu le sais ? → *Quand **finiront** les travaux ? Tu le sais ?*

1. Jacques sera à Paris ce dimanche.

2. On a les résultats tout de suite.

3. Vous aurez tout votre temps !

4. Ils iront en Grèce, puis en Turquie.

5. Est-ce qu'il va faire beau demain ?

6. Nous ferons tout pour réussir.

2 Change the verb and the rest of the sentence according to the person in brackets.

Exemple : Ils finiront par renoncer au voyage. (il) → *Il finira par renoncer au voyage.*

1. Du calme ! Tu auras une part de gâteau, comme tout le monde ! *(vous)* → ....

2. Demain soir, nous serons dix en tout. *(on)* → ....

3. Corentin ira faire ses études à Montpellier. *(Corentin et Jean-Marc)* → ....

4. Elles passeront Noël en famille. *(nous)* → ....

5. Vous ferez les courses samedi ; moi, je ne peux pas. *(tu)* → ....

6. Lui, il ira loin ! *(elles)* → ....

3 Change the sentences from the *futur proche* to the future.

Exemple : On va finir bientôt. → ***On finira** bientôt.*

1. Quand vous allez rentrer d'Écosse ? → ....

2. Est-ce que Barbara va réussir son examen ? → ....

3. Je vais faire attention ; c'est promis ! → ....

4. Tu vas parler au prof d'anglais, maman ? → ....

5. Nous allons choisir le dessert tout à l'heure. → ....

6. Les Rioul vont aller au festival d'Aix-en-Provence. → ....

4 Put the sentences into the future.

Exemple : Qu'est-ce que tu ... l'année prochaine ? (faire) → *Qu'est-ce que **tu feras** l'année prochaine ?*

1. Il .... rentrer pour huit heures. *(falloir)*

2. Tu .... chercher Marion à l'école, cet après-midi ? *(aller)*

3. On n'................. pas le temps de passer à la maison. *(avoir)*

4. Ils .... contents d'apprendre cette bonne nouvelle ! *(être)*

5. Tu .... ce qu'on te demande. *(faire)*

6. Elle .... demain ou après-demain. *(partir)*

5 Listen and complete this conversation between two students, Frédéric and Émilien.

Émilien : Tu .... chez toi à la fin du semestre ?

Frédéric : Je ne sais pas encore. Et toi, qu'est-ce que tu .... ?

Émilien : Moi, j'................. deux semaines chez mes parents. Ils .... contents.

Frédéric : Tu as de la chance ! En plus, je .... me mettre à chercher sérieusement un studio.

Émilien : Je connais quelqu'un qui .... son studio bientôt. Je te .... son adresse.

Frédéric : Ah, merci ! C'est gentil.

J'ai vu quelques amis
I saw a few friends

In French, indefinite quantity can be divided into **approximate quantity** and **subjective quantity**.

APPROXIMATE QUANTITY is expressed by:

● *environ* + numeral.

> *Ce vélo pèse douze kilos environ.* (**This bike weighs around 12 kilos.**)

● the suffix *-aine* which can be added to the following numbers:
10, 12, 15, 20, 30, 40, 50, 60 and 100, as for dozen in English.

> *Je voudrais deux douzaines d'huîtres.* (**I would like two dozen oysters.**)
> *Ils sont une vingtaine en tout.* (**They are about twenty in all.**)

● adverbs such as *beaucoup (de)…, peu (de)…* followed by a noun or a verb:

> *Je n'ai pas* **beaucoup de** *temps.* (**I don't have a lot of time.**)
> *J'ai* **beaucoup** *d'amies.* (**I have a lot of friends.**)
> *Il mange* **peu***. Il boit* **beaucoup***.* (**He doesn't eat much. He drinks a lot.**)

● *plusieurs* + noun which expresses a non-defined quantity:

> *Nous avons déjà visité plusieurs pays d'Europe.*
> (**We have already visited several countries in Europe.**)

● *nombreux/nombreuses* which indicates a non-defined larger quantity:

> *On a de nombreux amis à Londres.* (**We have a number of friends in London.**)

● set phrases or idioms such as:

> *– manger comme quatre = manger beaucoup*
> *– monter les escaliers quatre à quatre = très rapidement*

SUBJECTIVE QUANTITY is expressed by:

● *assez* + adjective, *assez de* + noun (enough).

> *Arrête, tu as assez parlé !* (**Stop, you've said enough!**)
> *C'est assez stupide de dire ça.* (**It's quite stupid to say that.**)

● *trop* + adjective, *trop de* + noun (too).

> *J'ai trop de travail, en ce moment.* (**I have too much work at the moment.**)
> *C'est une histoire trop compliquée pour moi.* (**This story is too complicated for me.**)

● *quelques* (some, a few ; always in the plural).

> *Il y a quelques spectateurs dans la salle pour le moment.*
> (**There are [only] a few spectators in the hall at the moment.**)

❶ Read and complete with *beaucoup* ou *beaucoup de*.

*Exemple : : J'ai des voyages à faire. → J'ai **beaucoup de voyages** à faire.*

1. Il y a des trains à l'occasion des départs en vacances. → ....
2. Papa aime la pêche à la ligne. → ....
3. Elle a du courage, vraiment ! → ....
4. Il réfléchit avant de prendre une décision. → ....
5. Tu as des propositions d'emploi ? → ....
6. On regrette son départ. → ....

❷ Replace the words in italics with a numeral ending in *-aine (dizaine, vingtaine…).*

*Exemple : Je voudrais 12 œufs. → Je voudrais **une douzaine d'œufs**.*

1. Hugo a *30 ans.* → ....
2. Il y a eu seulement *100 participants* à la manifestation. → ....
3. Il faut *50 euros* pour acheter ça. → ....
4. Il a passé toute sa vie professionnelle à l'étranger, *40 années* au moins. → ....
5. On n'est plus qu'à *60 km* de Lille. → ....
6. Je te l'ai déjà dit *10 fois :* ne sors pas sans parapluie ! → ....

❸ Express quantity with *assez* and *trop*.

*Exemple : Philippe parle toujours. (trop) → **Philippe parle toujours trop**.*

1. Léa lit en ce moment. *(assez)* → ....
2. Je reçois des courriels de Frank. *(trop)* → ....
3. Il reste encore du temps pour tout terminer. *(assez)* → ....
4. Il y a de la lumière dans cette pièce. *(trop)* → ....
5. À la cantine, on mange des surgelés. *(trop)* → ....
6. Est-ce qu'il y a du beurre pour mon gâteau ? *(assez)* → ....

❹ Answer by using *beaucoup* (++), *trop* (+++), *peu* (-). Then listen to the recording and check your answers.

*Exemple : Vous avez des amis dans le quartier ? (++) → **Oui, oui, nous avons beaucoup d'amis**.*

1. Est-ce qu'elle se préoccupe beaucoup pour ses enfants ? (+++) → ....
2. Vous devez faire des achats cet après-midi ? (++) → ....
3. Est-ce qu'il y a des boutiques ouvertes le dimanche ? (-) → ....
4. Combien d'heures par jour tu passes sur Internet ? (-) → ....
5. Tu marches régulièrement, tous les jours ? (++) → ....
6. On met de la publicité dans votre boîte aux lettres ? (+++) → ....

❺ Translate these sentences into French using a dictionary if necessary.

1. Lucas has a few health worries. → ....
2. You have several possibilities: make your choice! → ....
3. There are not many participants. *(nombreux)* → ....
4. You have some responsibilities and it is not easy for you. → ....
5. It has rained a lot for weeks. *(depuis)* → ....
6. There are still some yoghurt in the fridge. *(il y a)* → ....

Vous descendez, madame ?
Are you getting off, madame?

● The verb *descendre* has a single stem in the indicative present: *descend-*. To conjugate the different forms of the present indicative tense, you need to follow the example below, with the endings as highlighted below. Note that there is no ending to apply to the stem for the third person singular.

Descendre [desãdʀ]	
Written	**Spoken**
Je descend**s**	[ʒədesã]
Tu descend**s**	[tydesã]
Il/Elle descend**d**	[il/ɛldesã]
Nous descend**ons**	[nudesãdɔ̃]
Vous descend**ez**	[vudesãde]
Ils/Elles descend**ent**	[il/ɛldesãd]

● The past participle ends in *-u* as *descendu* and the *passé composé* is conjugated with *avoir*.
   Je suis descendu dans la cave tout à l'heure.

● The imperative is *descends, descendons, descendez*:
   Descends de là immédiatement !

● The *imparfait* is also formed from the stem *descend-*:
   Ils descendaient dans le même hôtel tous les ans. **(They stayed at the same hotel every year.)**

● The future (➜*46*) and the conditional (➜*11*) are formed from the stem *descendr-*:
   Le niveau du fleuve descendra dans les prochains jours avec le beau temps.

● Other verbs which are conjugated in the same way as *descendre* include *vendre, rendre, perdre, attendre, répondre…*

● *Descendre* also means 'to have as an origin':
   Baudouin descend d'une famille de Croisés. **(Baudouin comes from a family from the Crusades.)**

● With *descendre* we can make phrases such as:
   – *descendre dans la rue* **(to go into the street, ie to protest)**
   – *descendre dans l'arène* **(to go to the arena)**

 Descendre, like *monter* and *sortir*, has two constructions; transitive et intransitive:
   Je suis descendu du cinquième étage en courant. **(intransitive)**
   Il a descendu la table tout seul. **(transitive:** *la table* **is the** *complément d'objet direct***)**

1 Underline the verbs which are conjugated like *descendre* and write the tense and/or mood to the side.

Exemple : *Je te répondrai dès que possible.* → __Je te répondrai__ *dès que possible* / **Futur**

1. Il attendrait encore un peu, mais il ne peut pas. → ....

2. On perd toujours aux cartes avec lui. → ....

3. Tu descends acheter du lait, s'il te plaît ? → ....

4. J'attendrai ton retour. → ....

5. Ne descendez pas par l'escalier, il y a l'ascenseur. → ....

6. Nous leur avons répondu par mèl. → ....

2 Write the correct form of the verb in the person indicated.

Exemple : *On descend à la prochaine.* (nous) → **Nous descendons à la prochaine.**

1. On est descendu dans la rue pour protester. *(nous)* → ....

2. Est-ce que tu lui as rendu les clés du garage ? *(ils)* → ....

3. Ils vont perdre le match, dommage ! *(on)* → ....

4. Descendez les escaliers doucement! *(tu)* → ....

5. Qui est-ce que tu attends? *(elle)* → ....

6. Ne réponds pas à ses provocations ! *(vous)* → ....

3 Listen and complete this conversation between Emma and David. Then read the conversation with a friend.

Emma : .... acheter quelque chose chez le traiteur ?

David : Pourquoi ? Il n'y rien à manger à la maison ?

David : ...., je vérifie à nouveau. Oui, c'est ça, il ne reste que des œufs.

Emma : D'accord, alors .... Et pendant que ...., tu prépares un petit apéritif.

4 Choose the right verb and write the correct form following the instructions: *descendre, rendre, attendre, répondre, suspendre, perdre.*

Exemple : *Grand-père ... la mémoire.* (présent) → *Grand-père* **perd** *la mémoire.*

1. Dans la petite pièce, il y a un vieux lustre .... au plafond. *(participe passé)*

2. Nous .... hommage à votre générosité et à votre courage. *(présent)*

3. À quelle station vous .... ? *(futur proche)*

4. Tout n'............. pas ...., courage ! *(passé composé)*

5. Eux, ils .... sûrement non. *(conditionnel)*

6. Quel bus...............................-vous, madame ? *(présent)*

5 Translate these sentences into French using a dictionary if necessary.

1. Don't answer like that! *(comme ça)* → ....

2. Mathis, can you get the cases down? They're too heavy for me.

→ ....

3. He's still waiting for him in front of the newspaper kiosk. *(le kiosque à journaux)* → ....

4. Your friends have missed a good opportunity. → ....

5. The students are in the street to call for more investment in their school. *(investissement)*

→ ....

6. You, you don't want to answer him, but if I were you I would answer him.

→ ....

Voyons !

Let's see!

- The verb *voir* has two stems in the present indicative: *voi-* and *voy-*. The full pronunciation is shown below:

Person	Spoken	Written
1st **person singular**		Je **vois**
2nd **person singular**	[vwa]	Tu vois
3rd **person singular**		Il/Elle voit
1st **person plural**	[vwajɔ̃]	Nous **voy**ons
2nd **person plural**	[vwaje]	Vous voyez
3rd **person plural**	[vwa]	Ils/Elles voient

- The past participle is *vu*:

   J'ai vu passer le Tour de France.

- The imperative has a regular form: *vois, voyons, voyez.*

   Mais c'est faux, voyons !

- The *imparfait* is formed from the stem *voy-*:

   De chez lui, il voyait les collines qui entouraient la ville.

- The future and the conditional are formed from the stem *verr-* [vɛʀ]:

   On ne verra rien d'ici !
   On verrait bien Margaux en responsable des ventes.

- *Voir* can be used metaphorically as in English with the sense 'to understand':

   Tu vois que tu peux y arriver ! (You see that you can do it!)

- *Voir* is used to make set phrases, in french *locutions*, such as:

   — *Voir clair* (to see clear, to perceive)
   — *Voir le jour* (to be born, to appear)
   — *Voir le bout/la fin de* (to see the end of)

- *Mais voyons !* is used to show confusion or disagreement:

   — *J'ai tout fait ! — Mais voyons !* (— I've done it all! — Oh, really?)

1 Which present forms of the verb voir match these transcripts? Write the verb forms.

1. [vwajɔ̃] → ....
2. [vwa] → ....
3. [vwaje] → ....

2 Read these sentences and underline the phrases (= *locutions*) with *voir*. How would we say these phrases in English?

1. Dans cette affaire, il commence à y voir clair, heureusement.
2. On verrait Amina et Raphaël avec plaisir, mais ils sont toujours pris.
3. Marlène Mondel, physicienne, a vu le jour dans cette maison le 20 juin 1905.
4. Mais ce n'est pas comme ça qu'on fait, voyons !
5. Je ne te dis rien, tu vois. Mais la prochaine fois, fais plus attention !
6. Ils sont déprimés. Ils ne voient pas la fin de leurs problèmes !

Les locutions équivalentes en anglais sont :

....
....
....

3 Translate these sentences into English.

1. Il était là, mais il n'a rien vu. → ....
2. On verra ! Demain est un autre jour. → ....
3. Vous arrivez à voir quelque chose avec ce brouillard ? → ....
4. Nous avons vu un serpent dans le jardin, grand comme ça ! → ....
5. De sa fenêtre, on voit les toits de Paris. → ....
6. C'est très simple, vous voyez. Il faut éteindre l'appareil et puis rallumer. → ....

4 Complete the conversation between two friends with the right form of *voir*.

– Tu .... Benoît, récemment ?
– Non, ça fait un moment que je ne le .... pas.
– Moi non plus, je ne .... plus les copains. Et toi, comment tu vas ?
– Bien, normal, quoi ! Demain soir, tu es libre ?
– J'ai une réunion à 18h30. Je vais .... si j'arrive à me libérer.

5 Listen to the recording of Exercise 4 and check your answers.

6 Complete with the correct form of *voir* as in the example.

Exemple : Je ... Martin hier. → ***J'ai vu Martin hier.***

1. Tu ...., le problème n'est pas compliqué !
2. On .... Alexandra au restaurant, l'autre jour.
3. Est-ce que vous .... quelque chose là-bas ? Moi, je ne .... rien.
4. Tu .... que les prix des appartements ont baissé même en ville ?
5. Nous n'........................ pas .... la fin du film.
6. Louis XIV .... le jour le 5 septembre 1638.

On a encore du temps
We still have time

- The partitive article in French has the same meaning as the English singular term 'some' (positive) or 'any' (negative)'. In English the word 'some' is often missed out but this is not the case in French. Below are the positive forms of the partitive article:

	Masculine singular	Feminine singular
Before a consonant	**Du** lait	**De la** crème
Before aspirated h	**Du** homard	**De la** harissa
Before a vowel	**De** l'air	**De** l'eau
Before a silent h	**De** l'humour	**De** l'huile
	Masculine and feminine plural	
	Des épinards, des pâtes	

- The partitive article is used to show that the noun described is present in an indefinite quantity.

    *J'ai pris **du** pain, **du** fromage et **de la** bière.*
    (I got (some) bread, (some) cheese and (some) beer.)

    *Il y a **du** houx et **de la** lavande dans le jardin.*
    (There is (some) holly and (some) lavender in the garden.)

- The partitive article is used with non-countable nouns, such as the names of materials *(de la farine, de l'huile, des céréales...)* or abstract nouns *(du courage, de l'intelligence...)*:

    *Dans cette tarte il faut encore **du** beurre.* **(non-countable quantity)**
    *Pascale a **de la** volonté.* **(abstract notion)**

- The partitive article is often used in phrases with *avoir* or *faire*:

    *Il fait **du** violon.*
    *Cette semaine, j'ai **de la** chance !*

- The three partitive forms **du, de la** and **de l'** have a single negative form: **de** (**d'** before a vowel). This is used to show that the noun is negative in terms of quantity.

    *Il n'y a plus **de** sucre.* **(There isn't any sugar left.)**
    *Je n'ai plus **de** papier pour l'imprimante.* **(I don't have any paper left for the printer.)**

1 Underline the words preceded with the article *du (de l')* or *de la*.

Exemple : : *Il y a **du bruit** ici ! C'est insupportable !*

1. Pour le soufflé, il faut de la farine, du lait et quoi d'autre ?
2. Entrez, il y a de la place pour tout le monde !
3. Voulez-vous de la lecture, madame ?
4. Rachid fait de l'athlétisme, du sprint.
5. Nous achetions du beurre à la ferme.
6. Du calme, s'il vous plaît.

2 Put the words of the sentences below in the correct order.

Exemple : : *fais / du / tu / sport ?* → **Tu fais du sport ?**

1. Tiphaine / confiture / de la / mange / le matin. → Tiphaine ....
2. achetons / pain complet / du / nous → Nous ....
3. est-ce que / avez / temps / du / vous ? → Est-ce que ....
4. tu / jus d'orange / du / veux ? → Tu ....
5. du / Étienne / miel de châtaignier / produit. → Étienne ....
6. de la brume / ce matin / il y a → Ce matin ....

3 Replace the words in italics, as indicated.

Exemple : *Tu achètes du fromage, s'il te plaît ?* (les pâtes) → *Tu achètes **des pâtes** s'il te plaît ?*

1. Je fais *du couscous*, demain soir. *(la pizza)* → ....
2. Tu as *du papier ? (la colle)* → ....
3. Nous avons encore *de la route. (le travail)* → ....
4. Je voudrais aussi *du céléri. (la menthe)* → ....
5. Je vais acheter *du dentifrice.* Je reviens tout de suite. *(la crème à raser)* → ....
6. Hélène a *du monde*, chez elle. *(la famille)* → ....

4 Read and complete with *du (de l')*, *de la*, using the word in brackets.

Exemple : : *Tu reprends..., chéri ?* (viande, f.) → *Tu reprends **de la viande**, chéri ?*

1. Il y a .... partout ici ! *(poussière, f.)*
2. Ils ont .... ; je les admire ! *(patience f.)*
3. Il manque .... et .... C'est ça ? *(pain, m ./ eau minérale f.)*
4. Je mets .... dans mes papiers. C'est long ! *(ordre, m.)*
5. Pour demain, la météo annonce encore .... *(pluie, f.)*
6. Qu'est que vous prenez le matin :................... ou .... ? *(café, m. / thé, m.)*

5 Complete the dialogue with the appropriate word preceded by *du (de l')* or *de la*.

vélo, m. – volonté, f. – chance, f – circulation, f.

Sébastien : Il y a ...., aujourd'hui. Je suis en retard, excuse-moi.

Anaïs : Moi, j'arrive toujours à l'heure, je fais .... en ville !

Sébastien : Tu as .... ! Parce que moi, tu sais, je ne peux pas utiliser le vélo pour mes rendez-vous.

Anaïs : Il faut .... ! Mais toi, tu n'as pas envie de changer tes habitudes, voilà !

6 Listen to the recording of Exercise 5 and check your answers.

Tu sors la voiture ?

Are you getting the car out?

- Some verbs, such as *aimer* (to like), *dire* (to say), and *donner* (to give) need to be followed by a complement:

    Elle donne des cours de français.

TRANSITIVE VERBS

- If the complement does not take a preposition, it is known as 'complement of a direct object' (COD). The verbs with a COD are called: *verbes transitifs directs*.

    Il connaît bien Londres.

- If the complement takes a preposition, such as *penser à, s'occuper de, voter pour*, it is known as 'complement of an indirect object' (COI). The verbs with a COI are called: *verbes transitifs indirects*.

    Il pense à la fin du film.
    Il s'occupe de son jardin.

INTRANSITIVE VERBS

- Some verbs are used without a complement. For example: *tousser* (to cough), *bailler* (to yawn), *aboyer* (to bark)... They are called intransitive verbs (*verbes intransitifs*):

    Tu tousses ?
    Je pars !

- Some verbs can be both transitive or intransitive depending on the meaning. For example: *sortir, monter, descendre, rentrer:*

    Sors d'ici immédiatement ! **(Get out of here right now!)**
    Elle sort la voiture du garage avec précaution. **(She gets the car out of the garage carefully.)**
    Descends ta valise, vite ! **(Get your case down, quick!)**
    Tu descends ou tu restes là ? **(Are you going down or are you going to stay there?)**

1 **Underline the direct complement of the verbs.**

Exemple : *Nous mangeons des fruits et des légumes régulièrement.*
→ *Nous mangeons **des fruits et des légumes** régulièrement.*

1. J'ai invité tous nos amis pour ma fête !
2. Nous avons vendu notre appartement à un bon prix.
3. Vous connaissez le mari de Clara ?
4. On rencontrait nos camarades de lycée quand on habitait encore à Liège.
5. Elle a appelé l'agence immobilière pour avoir des précisions.
6. L'organisateur du concours a félicité tous les candidats.

2 Use the appropriate suggestion to complete the sentence with a direct complement or an indirect complement (with a preposition).

Exemple : Je vois … demain. → *Je vois **mon conseiller bancaire** demain.*

*les professeurs – son pays – cette fumée – notre nouveau voisin – l'Office de tourisme – le discours – **mon conseiller bancaire***

1. J'ai rencontré .... ; il vivait à Rouen auparavant.
2. Tu vois .... ? Il y a un incendie quelque part.
3. On a téléphoné ...., mais il y avait dix minutes d'attente.
4. Nous avons écouté .... du nouveau Président à la télé.
5. Tu as parlé .... de ton fils ?
6. Elle aimait beaucoup .... Elle en avait la nostalgie, parfois.

 3 Listen to the recording of Exercise 2 and check your answers.

4 Match the two halves of the sentences.

Exemple : : J'ai dit au revoir / à tout le monde. → *J'ai dit au revoir à tout le monde.*

1. Charles a reconnu	a. François demain ?
2. Nadia s'occupe	b. au proviseur.
3. Tu vois	c. de la comptabilité de la maison.
4. Nous avons parlé	d. ses torts.
5. Tu aimes	e. beaucoup de gens, pendant les vacances.
6. Ils ont rencontré	f. mon nouveau pull ?
7. Le chien aboie,	g. attends-moi !
8. Je descends moi aussi,	h. tu entends ?

5 Translate these sentences into French. Use a dictionary if necessary.

1. He went to the Galapagos Islands; he left all his friends behind. → ....
2. Did you know Mathias Duchêne? → ....
3. He is happy, he smiles at everyone. → ....
4. We accompanied Daphné to Galeries Lafayette. → ....
5. Do you often see Samir? → ....
6. Please, I'm looking for a chemist's. → ....

6 Make six sentences from the information in the grid.

Exemple : Je / remplacer / un collègue. → *Je vais remplacer un collègue.*

Sujet	Verbe (futur proche)	Complément objet direct
Gabriel	remplacer	un collègue
Vous	chercher	le téléviseur en panne
Je		

Il faisait très beau

The weather was very nice

- The *imparfait* in French is used to describe actions/states in the past of unspecified duration (*Elle aimait beaucoup lire.*) and to represent a habitual action in the past (*Jeff sortait tous les jours à 8h précises.*), where we would use 'used to' in English. It can be contrasted with the use of the *passé composé*.

- To form the *imparfait* you take the stem of the verb (use the *nous* form of the present indicative with the exception of the verb *être*) and add the appropriate ending. These endings are the same for all verbs.

Pronouns	Endings	Verbs: *regarder, prendre, finir, savoir, faire, aller, avoir*	
Je	**-ais**	*Je regardais la télé tous les soirs.*	I used to watch TV every evening.
Tu	**-ais**	*Tu prenais toujours le même bus, n'est-ce-pas ?*	You always used to take the same bus, didn't you?
Il/Elle	**-ait**	*Il/Elle finissait tard.* *On savait qu'il était tard.*	He/she used to finish late. We knew that it was late.
Nous	**-ions**	*Nous faisions nos courses au marché.*	We were shopping at the market.
Vous	**-iez**	*Vous alliez souvent à l'étranger ?*	You often used to go abroad?
Ils/Elles	**-aient**	*Ils/Elles avaient quel âge sur cette photo ?*	How old were they in this photo?

⚠ The stem of *être* is *ét-*: j'ét-ais, tu ét-ais, il ét-ait... Ils étaient dix en tout.

- To summarise, the main uses of the *imparfait* are:

  - A habitual action or state in the past:

    J'habitais une maison à côté de l'église.
    (I used to live in a house next to the church.)

    Elle travaillait à Bruxelles deux jours par semaine.
    (She used to work in Brussels two days a week.)

  - Actions or states in the past of unspecified duration:

    Il neigeait et il faisait très froid. (It was snowing and it was very cold.)

    Le restaurant était ouvert. (The restaurant was open.)

    Elle écoutait la radio quand le téléphone a sonné.
    (She was listening to the radio when the telephone rang.)

1 Change each verb from the present to the *imparfait*.

Exemple : *Justin a peur des chiens.* → ***Justin avait*** *peur des chiens.*

1. Quentin trouve Manon tout à fait charmante. → ....

2. Il pense souvent à vous. → ....

3. Je prends mon petit-déjeuner à 7h. → ....

4. Ils sont bien ensemble. → ....

5. Vous faites un travail intéressant ! → ....

6. Tu as une bonne assurance ? → ....

7. On fait une promenade dans le parc à côté, le dimanche. → ....

8. Nous prenons souvent un café ensemble. → ....

2 Change the person and the verb each time.

Exemple : *J'allais au cinéma toutes les semaines.* (nous) → ***Nous allions*** *au cinéma toutes les semaines.*

1. Ils finissaient toujours par se disputer. *(on)* → ....

2. Tu avais son nouveau numéro de téléphone ? *(vous)* → ....

3. Vous alliez où tout à l'heure? *(tu)* → ....

4. Elle venait chez moi le dimanche. *(elles)* → ....

5. Vers trois heures, j'étais au bureau. *(nous)* → ....

6. On rentrait de vacances fin août. *(ils)* → ....

7. Je voyais Enzo tous les mercredis. *(on)* → ....

8. Vous croyiez vraiment qu'on allait gagner ? *(tu)* → ....

3 Choose the right word to complete each sentence: *parlais, aimais, faisaient, rentrait, finissiez, passions, allais.*

Exemple : *À qui tu … ?* → *À qui tu* ***parlais*** *?*

1. Jean et Cynthia .... des projets de voyages magnifiques.

2. Tu .... dessiner, quand tu étais petit ?

3. À vélo, vous .... toujours par nous distancer.

4. Elle ne .... jamais avant huit heures.

5. Avant, j'.. au centre sportif Louison Bobet.

6. Nous .... les vacances chez ma tante Maria.

4 Put the sentences in the right order.

Là, j'étais toujours surprise de voir une vieille femme qui louait les chaises du jardin. → ...

Quand je suis allée à Paris pour la première fois, j'étais dans un pensionnat pour jeunes filles. → **1**

Quand je n'avais pas cours, j'allais au jardin du Luxembourg qui n'était pas loin. → ...

Maintenant « les chaisières » ont disparu mais, dans les années 70, elles faisaient partie du décor ! → ...

Je suivais des cours de français à l'Alliance française. → ...

5 Listen to the recording of Exercise 4 and check your answers.

Nous devons travailler
We have to work

- The verb *devoir* has three stems in the indicative present: *doi-, dev-, doiv-*.

Devoir [dəvwaʀ]	
Written	**Spoken**
Je **dois**	[ʒədwa]
Tu dois	[tydwa]
Il/Elle doit	[il/ɛldwa]
Nous **dev**ons	[nudəvɔ̃]
Vous devez	[vudəve]
Ils/Elles **doiv**ent	[il/ɛldwav]

- The *participe passé* is *dû* and the *passé composé* is conjugated with *avoir*.
  The circumflex accent is to distinguish the past participle from the partitive *du* (*Tu mets <u>du</u> sucre dans ton café ?*):
  > *On a dû passer par Orléans.* (**We had to go via Orléans.**)

- The *imparfait* is formed from the stem *dev-*:
  > *Je devais aller au concert, mais je n'ai pas pu.* (**I was supposed to go to the concert but I couldn't.**)

- The future (→ *46*) and the conditional are formed from the stem *devr-*:
  > *Elle devra écrire son CV à la main.* (**She'll have to write her CV out by hand.**)

- *Devoir* is most frequently used with another verb in the infinitive with the meaning 'to have to', 'to be obliged to' (→ *39*):
  > *Je dois aller à Vichy demain.* (**I have to go to Vichy.**)
  > *On doit arriver avant 5h.* (**We should get there before five.**)

- *Devoir* plus infinitive can also have the meaning 'to be supposed to' or 'that something should be so'.
  > *Elle doit avoir trente ans.* (**She must be about 30 years old.**)
  > *Il doit être dix heures au moins.* (**It must be at least ten o'clock.**)

- Without an infinitive, *devoir* means 'to owe':
  > *Sylvain me doit dix euros.* (**Sylvain owes me 10 euros.**)

1 Listen to the conversation and fill in the right form of *devoir*.

Conversation entre Bernard et Raphaëlle.

– Qu'est que tu .... faire cet après-midi ?

– Ben, j'ai une réunion à quatre heures, puis je .... revoir un dossier important. Mais quelle heure il est ?

– Il .... être presque trois heures.

– Alors je .... filer. Je ne suis pas en avance.

– Je .... t'accompagner en voiture ?

– Non, merci, ce n'est pas la peine. J'y vais en bus.

2 Change the person and the form of the verb each time.

Exemple : *Tu devrais bien réfléchir à la question.* (il) → *Il devrait bien réfléchir à la question.*

1. Je dois vous demander un service. *(on)* → ....

2. Vous devez faire attention. *(tu)* → ....

3. Ils doivent faire leur possible. *(elles)* → ....

4. Tu devrais économiser un peu. *(vous)* → ....

5. Elle doit m'appeler aujourd'hui. *(ils)* → ....

6. Il a dû accompagner les enfants à l'école, ce matin. *(je)* → ....

3 Link the two parts of the sentence.

Exemple : *Leur toit / a dû être réparé, après les orages.* → *Leur toit a dû être réparé, après les orages.*

1. Vous   **a.** devrions avoir la moyenne en français.

2. Henri   **b.** devriez rentrer à la maison.

3. Nous   **c.** doivent nous rendre notre appareil photo.

4. Tu   **d.** ai dû attendre une heure chez le médecin.

5. J'(e)   **e.** doit s'occuper du chien de sa tante, en août.

6. Jean-Jacques et Justine **f.** dois ranger ta chambre !

4 Complete each sentence with the right form of *devoir*.

Exemple : : *Est-ce que ... prendre le bus pour aller au lycée?* (tu, présent)
→ *Est-ce que* *tu dois* *prendre le bus pour aller au lycée ?*

1. .... aller te coucher : il est tard ! *(tu, conditionnel)*

2. Pendant notre absence, ... arroser les plantes. D'accord ? *(vous, présent)*

3. .... tout recommencer. C'est ça ? *(tu, passé composé)*

4. Qu'est-ce que .... faire alors ? *(je, imparfait)*

5. .... voir Sébastien plus tard. *(nous, présent)*

6. .... avoir l'adresse de Catherine, je crois. *(ils, conditionnel)*

5 Translate into French using a dictionary if necessary.

1. You should do yoga. → ....

2. Loïc must have changed his mind as usual! *(changer d'avis, comme d'habitude)* → ....

3. You should come back later. *(revenir)* → ....

4. But weren't you supposed to take your driving test? *(passer son permis de conduire)* → ......

5. We had to give up on our trip to China; too expensive! *(renoncer)* → ....

6. To keep fit, athletes need to train regularly. *(s'entraîner régulièrement)* → ....

C'est très bon !
It's really good!

Most adjectives can express their degree of intensity or of quantity by adverbs:

- **Low intensity** can be expressed using: *à peine* (hardly, barely), *peu* (a little), *très peu* (barely). Note that in English this expression is more usually expressed by using a positive form of the opposite adjective:

> *Samira est très peu sévère avec ses enfants.*
> (literally 'Samira is barely strict with her children.'
> but more usually 'Samira is very gentle with her children.')

- **Medium intensity** can be expressed using: *assez* (quite), *moyennement* (fairly):

> *La ville est assez grande.* **(The city is fairly big.)**

- **High intensity** can be expressed using: *très* (very), *trop* (too), *absolument, tout à fait* (absolutely), *complètement* (completely): *J'ai passé une très bonne semaine.* / *Le curry est trop fort pour moi.*

Quantity of adjectives can be expressed by a **comparative**, for example:

- **majority** can be expressed by *plus…que* (more than): *L'essence est plus chère ici qu'en France.*

- **equality** can be expressed by *aussi…que* (as … as): *Il est aussi rapide que toi, ton ami Léo.*

Or by using *comme* (as) as in certain expressions: *bête comme ses pieds* = **as thick as a plank,** *blanc comme neige* = **as white as snow,** *bon comme du bon pain* = **as good as gold.**

- **minority** can be expressed by *moins…que* (less than, not as…as): *Paul est <u>moins</u> brillant <u>que</u> Jean-Luc.*

REMEMBER!

- The second element of the comparison is introduced by *que*:

> *Pour Caen, le train est plus rapide que la voiture.* **(To go to Caen, the train is quicker than the car.)**

- The comparative form of *bon* is *meilleur*:

> *Oui, d'accord! Il est bon en maths, mais je suis meilleur que lui.*
> **(Yes, OK! He is good at maths but I am better than him.)**

- Particularly in speech, *trop* is often used to replace *très*, in particular by young people:

> *C'est trop intéressant !* replaces *C'est très intéressant.* **(It's very interesting.)**

- In informal speech the following prefixes are used:

> *hyper-: J'ai eu mon bac. Je suis hyper-contente !*
> **(I got my bac** *(= diploma at 18 years old).* **I'm ridiculously happy!)**
> *super-: Il est super-facile, cet exercice !* **(It's super-easy this exercise!)**

- *Très* cannot be used with adjectives such as *délicieux, magnifique, excellent, superbe…*

> *(C'est vraiment excellent* **but not** *C'est vraiment ~~très excellent~~.),*
> because these adjectives already express intensity.

1 Underline the words which express low or medium intensity to strengthen the adjectives.

Exemple : *Sylvain était moyennement satisfait de son examen.*
→ *Sylvain était* **moyennement satisfait** *de son examen.*

1. Ce cidre se boit à peine frais.
2. Dimanche, il a fait presque beau.
3. Cette réponse est assez urgente, madame Rivière.
4. Ce festival est peu intéressant, décevant même.
5. Il était moyennement content de les voir.
6. On était à peine surpris, parce qu'on s'attendait à ça.

2 Rewrite the sentences to express high intensity in a different way.

Exemple : *Ce colis est hyper-fragile. Faites attention !* → *Ce colis est* **très fragile**. *Faites attention !.*

1. Carine est super-contente de sa mutation en Provence. → ....
2. Tout ce que vous me dites, là, c'est tout à fait encourageant ! Merci ! → ....
3. La crème caramel est hyper-difficile à faire. → ....
4. Le temps est super-beau, aujourd'hui ! → ....
5. Mon équipe de collaborateurs est hyper-dynamique. → ....
6. Son horaire de travail est très souple. → ....

3 Express intensity by using a comparison (*p.= plus ; m.= moins ; a. = aussi*).

Exemple : *Clément est* ...... *(distrait, son père / a.)* → *Clément est* **aussi distrait que son père**.

1. Au marché, cette semaine les prix sont .... *(intéressant, d'habitude / m.)*
2. Nous sommes .... de rencontrer ton ami ! *(content, toi / a.)*
3. Le compte-rendu est .... ; on s'en occupe tout de suite. *(important, la lettre, / p.)*
4. Ce reportage est .... Dommage ! *(objectif, les autres / m.)*
5. Cet exercice est bien .... *(difficile, le précédent / p.)*
6. En grammaire, votre fils est .... madame, ni plus, ni moins. *(faible, le reste de la classe / a.)*

4 Add words that express the intensity (low, medium or high depending on your interpretation of the sentences).

Exemple : *Cet hôtel est confortable finalement.* → *Cet hôtel est* **assez confortable** *finalement.*

1. Nous avons *un contrat* à signer. → ....
2. On a passé *un week-end* à Angers ! → ....
3. Mathis est *calme.* → ....
4. Il est *disponible*, comme d'habitude. → ....
5. Ils sont *aimables* avec nous. → ....
6. Jean-Philippe est *content* de son nouveau travail. → ....

5 Listen and complete the conversation..

Vincent, comptable, dont c'est le premier emploi, discute avec sa mère.

– J'ai eu une journée .... Je suis .... que je ne tiens pas debout.
– Mais tu ne peux pas prendre les choses autrement ? Être .... ?
– C'est .... à dire, mais pas à faire !
– Ça, ça ne veut rien dire ! Tout est toujours .... pour toi !
– Tu n'as pas tort. À ce rythme, je vais devenir .... !

J'espère te voir bientôt
I hope to see you soon

In French, as in English, many verbs are followed by an infinitive without using a preposition as well. Some of the most useful are:

- *devoir (→ 53), pouvoir (→ 15), il faut/falloir (→ 39), aller, venir (→ 27 and 34), croire, savoir, espérer:*

    Il faut faire vite !

- verbs which express a desire or a wish: *vouloir* (to want), *souhaiter* (to wish), *désirer* (to desire)…:

    Voulez-vous boire quelque chose ?

- verbs which refer to the senses : *voir* (to see), *regarder* (to watch), *entendre* (to listen to)…:

    On t'a entendu rentrer cette nuit.

- verbs of motion: *monter* (to go up, to climb), *sortir* (to leave), *entrer* (to enter), *venir, aller*…:

    Tu descends acheter le journal ?

- verbs which express a preference: *aimer* (to like), *préférer* (to prefer), *détester* (to hate)…:

    Je préfère rentrer tôt.

With many of these verbs, there are two possible constructions:

   *J'espère/Je pense **pouvoir** venir demain.*
   *J'espère/Je pense **que je pourrai** venir demain.*

⚠ The verbs *vouloir, aimer* and *souhaiter* cannot use the second construction when the subjects of both verbs are the same: *Je veux venir. (Not : Je veux que je vienne.)*

---

1 **Make sentences from the groups of words below.**

*Exemple : **Souhaitez-vous utiliser Internet ?***

Souhaitez-vous utiliser	Voulez-vous vous tenir	Est-ce que tu veux boire
	à la maison samedi.	
Désirez-vous prendre		***Internet ?***
Il voudrait rencontrer	Nous souhaiterions vous avoir	
J'aimerais bien		tranquilles ?
son vieil ami.		quelque chose de frais ?
rendez-vous avec le docteur Gelly ?		visiter la vieille ville.

2 Listen to the recording of Exercise 1 and check your answers.

3 Rewrite the sentences and replace the nouns with infinitives that have the same meaning.

Exemple : Les voyages *aident à comprendre le monde.* → **Voyager** *aide à comprendre le monde.*

1. J'aime *les promenades* en ville. → ....

2. *Le sommeil* fait oublier beaucoup de choses. → ....

3. *La lecture* me détend. → ....

4. *Le travail* est important, se distraire aussi. → ....

5. *La recherche* d'un emploi n'est pas facile en ce moment. → ....

6. *Le paiement* des impôts, c'est un devoir. → ....

7. *Une réflexion* sur ces problèmes est indispensable. → ....

8. *Le repos* est très important pour la santé. → ....

4 Change the sentences by adding the verb of motion in brackets.

Exemple : J'achète des timbres. (aller) → **Je vais acheter** *des timbres.*

1. Elle cherche ses affaires. *(venir)* → ....

2. Tu demandes le prix de ce tee-shirt ? *(entrer)* → ....

3. Ils déjeunent chez Tom. *(aller)* → ....

4. Le menuisier monte le placard de la chambre. *(venir)* → ....

5. Vous faites un tour dans le quartier ? *(sortir)* → ....

6. Je révise mon cours d'histoire. *(rentrer)* → ....

7. Vous finissez votre travail *(revenir)* → ....

8. Ils vous disent bonjour. *(venir)* → ....

5 Translate these sentences into French.

1. Will you come and help me? → ....

2. Louis hopes to find another job but it isn't easy. → ....

3. We saw him leave very early; he didn't say goodbye to anyone. *(saluer)* → ....

4. I'm going to tell that to the Headmaster! *(proviseur)* → ....

5. Come and say goodbye to uncle. *(tonton)* → ....

6. They went to the Bonnard exhibition. *(voir)* → ....

6 Make sentences from the words provided.

Exemple : il / revenir, passé composé / chercher sa carte bleue → **Il est revenu chercher sa carte bleue.**

1. on / aller, présent / acheter des DVD. Tu viens ? → ....

2. ils / préférer, conditionnel / tout recommencer à zéro, si c'était possible → ....

3. elles / aller, passé composé / faire des achats dans le centre → ....

4. Elsa / détester, présent / attendre → ....

5. nous / passons, présent / livrer votre colis, à partir de quatorze heures → ....

6. je / vouloir, conditionnel / m'occuper personnellement de ce dossier → ....

7. nous / espérer, présent / pouvoir arriver à temps → ....

8. à quelle heure / tu / venir, présent / nous chercher ? → ....

Vous saviez ça ?

Did you know that?

● The verb *savoir* has two stems in the present indicative:

– *sai-* [sɛ], before silent endings *(-s, -t)*.

– *sav-* [sav], before voiced endings *(-ons, -ez)* and the third person plural *(-ent)*.

The full pronunciation is shown below:

Savoir [savwaʀ]		
Person	**Spoken**	**Written**
I**st** **person singular**		Je **sais**
2**nd** **person singular**	[sɛ]	Tu sais
3**rd** **person singular**		Il/elle sait
I**st** **person plural**	[savɔ̃]	Nous **sav**ons
2**nd** **person plural**	[save]	Vous savez
3**rd** **person plural**	[sav]	Ils/elles savent

● The past participle is *su*: *J'ai su que tu as été malade.*

● The imperative is *sache, sachons, sachez*:

Sache que je suis toujours là pour toi.

Sachez que vous avez toute mon estime.

● The *imparfait* is formed with the stem *sav-*:

je savais, nous savions (→ *52*).

Vous le saviez ?

● The future and the conditional are formed from the stem *saur-*:

On ne saura jamais pourquoi.

Tu ne saurais pas où sont mes clés ?

● *Savoir* is one of two French verbs which can be translated into English as 'to know'. More precisely, *savoir* means 'to be aware of', 'to have learnt' or 'to have been told about'. This is different to *connaître* ('to have an understanding of', 'to be familiar with') (→ *60*):

Je sais la réponse. (**I know the answer.**)

On sait qu'il aime beaucoup les glaces. (**We know he likes very much ice-cream.**)

● *Savoir* with an infinitive means 'to know how to'. It can be translated by the English 'can' but is different to *pouvoir* which means 'can' in the sense of being physically able to:

Il sait conduire. (**He knows how to drive.**)

Je ne sais pas nager. (**I can't swim.**)

1 Listen and tick the sentences with forms of the verb *savoir*.

Exemple : **Tu sais**, *Myriam se marie.* ☒

1. ☐ 4. ☐ 7. ☐ 10. ☐
2. ☐ 5. ☐ 8. ☐ 11. ☐
3. ☐ 6. ☐ 9. ☐ 12. ☐

2 Match the subject to the right phrase.

Exemple : *Vous / savez que notre voisin a une grosse voiture, une Jaguar ?*
→ **Vous savez que notre voisin a une grosse voiture, une Jaguar ?**

1. Vous
2. J(e)'
3. Nous
4. Ils
5. Est-ce qu'elle
6. Tu

a. ai su que vous quittez Toulouse. C'est vrai ?
b. savez ce qui vous attend ?
c. sais, j'arrête tout !
d. ne savons pas où aller.
e. sait s'en sortir seule ?
f. savent parfaitement ce qu'ils font.

3 Translate these sentences into French.

1. We knew that Loïc had found work. → ....
2. We know everything about him. → ....
3. I don't know anything about this story. → ....
4. Can you explain to me why you do this? → ....
5. Do you know that Zoë is moving to the country? → ....
6. They know how to wait for the right moment. → ....

4 Change these sentences as shown.

Exemple : *Nous savons que c'est un moment difficile pour toi.* (je)
→ **Je sais** *que c'est un moment difficile pour toi.*

1. Tu sais, l'autre jour j'ai croisé notre prof d'histoire. *(vous)* → ....
2. J'ai su que la date du concours est reportée d'un mois. *(nous)* → ....
3. Nous avons su que Laura et Fabrice se marient. *(je)* → ....
4. Vous savez m'expliquer cela ? *(tu)* → ....
5. Il sait tout. *(ils)* → ....
6. Sachez que je n'oublie rien. *(tu)* → ....
7. Saurais-tu par hasard où est le coffret de *Game of Thrones* ? *(vous)* → ....
8. Est-ce qu'elle sait se repérer dans cette ville ? *(elles)* → ....

5 Write the correct verb form of *savoir* as in the example.

Exemple : *... que Maxime est là ?* (tu, présent) → **Tu sais** *que Maxime est là ?*

1. Vous devez .... que rien n'est encore décidé. *(infinitif)*
2. .... parfaitement que je ne peux rien faire. *(tu, présent)*
3. Est-ce qu'... dire non, pour une fois ? *(ils, passé composé)*
4. .... bien que vous avez raison, mais il faut attendre. *(je, présent)*
5. .... la nouvelle ? *(vous, passé composé)*
6. .... jouer du piano et du violon : une vraie musicienne ! *(elle, présent)*
7. .... que vous avez toutes vos chances ! *(vous, impératif)*
8. .... ne .... pas comment s'en sortir. *(il, imparfait)*

La Mongolie, tu connais ?
Mongolia, have you been there?

The definite article is frequently used in French. Its usage differs markedly from the equivalent in English.

- In geographical terms (→ *64*), French normally uses the definite article for continents, countries, provinces, mountains, seas, rivers and so on:

  La mer Méditerranée était une importante voie de transports maritimes.
  (The Mediterranean sea was an important route of maritime transport.)

  La Tamise traverse Londres. **(The Thames goes through London.)**

  La Finlande utilise l'euro. **(Finland uses the euro.)**

REMEMBER!

- The definite article combines with *à* and *de*:

  Elle va au Pérou à Noël. **(à + le = au)**

  Je viens du Pérou. **(de + le = du)**

  But the countries *Chypre, Cuba, Madagascar...* do not take a definite article:

  Je m'installe à Madagascar.

  J'ai passé mes vacances à Cuba.

- The definite article is also used to express dates as in English. Note that the number always goes before the month in French.

  On est/Nous sommes le dix mars. **(It's the tenth of March.)**

  Aujourd'hui, c'est le dix janvier. **(Today it's January the tenth.)**

  It is not needed for the days of the week *On est lundi, mardi, mercredi.* (→ *67*) except when it refers to a series of the same day.

  J'ai cours de piano le mardi. **(I have a piano class on Tuesdays.)**

Unlike English, we use the definite article for:

- personal characteristics: *Chloé a les cheveux clairs et les yeux verts, comme son père !*

- school subjects and languages: *J'étudie l'allemand et les sciences.*

- certain abstract nouns and nouns used with a general meaning: *la liberté, la paresse, la haine, l'argent, le temps...*

  La liberté ou la mort. **(Freedom or death.)**

  Le temps ne s'arrête pas ! **(Time never stops!)**

- nouns used to indicate position, title or profession: *le professeur Martin, le pape François, le Président Hollande...*

  La reine Élisabeth est en visite officielle en France.

  (Queen Elizabeth is on an official visit to France.)

1 Observe the use of the definite article for the words in italics and translate the sentences into English.

1. *La France* est l'un des pays fondateurs de l'UE. → ....
2. Est-ce que je peux voir *le docteur Laumain* ? → ....
3. *Le professeur Capillon* sera absent le 18 mars. → ....
4. *Le chinois* est enseigné dans les Centres Confucius. → ....
5. Monsieur Tremblay enseigne *les mathématiques* au lycée Condorcet. → ....
6. *La tolérance* est indispensable dans une société. → ....
7. Florentin a *les yeux bleus.* → ....
8. *Le Danube* est le deuxième fleuve d'Europe par sa longueur. → ....

2 Answer the questions with *oui* or *non*.

On utilise l'article défini en français :	Oui	Non
1. Avec les noms géographiques.	☐	☐
2. Avec les noms de matières scolaires, de langues.	☐	☐
3. Avec des noms abstraits et de sens général.	☐	☐
4. Avec les caractéristiques physiques d'une personne : yeux, cheveux, tête…	☐	☐
5. Avec les noms de profession, de titre…	☐	☐

3 Choose the right option to complete each sentence.

Exemple : La Norvège / Norvège est riche en pétrole. → **La Norvège** est riche en pétrole.

1. Demain, nous sommes *mercredi / le mercredi.*
2. Nous sommes *quinze / le quinze* mars ?
3. *Luxembourg / Le Luxembourg* est un petit pays au cœur de l'Europe.
4. Petit Jean a *les cheveux noirs / cheveux noirs,* comme sa mère.
5. Quelqu'un a dit : « *La justice / justice* est le respect de la dignité humaine. »
6. J'aime bien *la physique / physique,* moi !

4 Complete the sentences using the words in brackets. Then listen to the recording and check your answers.

Exemple : Sophie a travaillé …. (Sénégal s. m.) → Sophie a travaillé **au Sénégal**.

1. – Alors, comment il est ton nouveau copain ?
   – Ben, il est plutôt grand, il a .... *(yeux noirs)* et .... *(cheveux clairs)*. Et il est très sympa !
2. – Tu sais, à l'université de Toulouse, l'étude de .... *(japonais)* a augmenté de 60 % en 5 ans. C'est désormais la troisième langue choisie, après .... *(anglais)* et .... *(espagnol)*. Mais .... *(japonais)* est loin devant les autres langues, ... *(allemand)*, ... *(russe)* et .... *(italien)* réunis.
   – C'est incroyable ! Mais pourquoi ?
   – L'une des raisons serait le projet de partir travailler .... *(Japon s. m.)*, après les études.
3. – Tu as acheté .... *(eau minérale)* ?
   – Pourquoi ?
   – Il reste une seule bouteille au frigo.
4. – Tu connais .... *(Suisse s. f.)* ?
   – Pas tellement, je suis allé une seule fois à Genève.

C'est demain, le match !
It's tomorrow, the match!

- The usual word order in French is **subject** (noun or pronoun), **verb, object (SVO)** as in English:

    Le lion a mangé le chasseur ! (The lion has eaten the hunter!)
    Je regarde le ciel. (I look at the sky.)

- The complement is usually placed after the noun which it determine:

    Les cheminées de l'immeuble sont à refaire.

- However, in everyday spoken French, any noun can be put on its own at the beginning of the sentence. This noun can be referred to later in the sentence as a pronoun.

    Les confitures, je les mets où ? (The jams, where shall I put them?)

- The expressions *c'est/voilà* (it's/here is) also allow words or parts of sentences to be highlighted.

    - *Voilà* is used to further emphasise a word or phrase and is placed directly after the word:
    Diminuer les accidents de la route, voilà la priorité du Ministère.
    (Reducing road accidents; this is the priority of the Ministry.)
    - *C'est* is also used for emphasis but goes before what it is being emphasised:
    Non ! C'est demain, le match !
    (No! It's tomorrow, the match!)

- In question forms the subject also comes after the verb (→ *13*):

    Où allez-vous ? (Where are you going?)

1 Isolate the underlined word and replace it with a pronoun when it is referred to again.

Exemple : On invite tes frères ? → ***Tes frères, on les invite ?***
Nos fruits sont de saison, madame. → ***Nos fruits, ils sont de saison, madame.***

1. Il ne supporte plus les voitures en ville ! → ....
2. Les bambous poussent bien ici. → ....
3. Sa copine a quitté Léo. → ....
4. Ce tableau est de travers ! → ....
5. Ton téléphone est déchargé. → ....
6. On doit interdire la chasse à l'ours. → ....

2 Change the questions by inverting the subject and the verb.

Exemple : Est-ce que vous avez lu mon CV ? → **Avez-vous lu mon CV ?**

1. Tu as bien réfléchi ? → ....

2. Est-ce qu'il vit dans le Limousin maintenant ? → ....

3. Est-ce que vous avez pris les papiers de voiture ? → ....

4. Quand tu as appris la nouvelle ? → ....

5. Est-ce qu'elle est contente de son stage en Suisse ? → ....

6. Est-ce que vous venez seuls ou avec les enfants ? → ....

3 Listen to the recording of Exercise 2 and check your answers.

4 Add the missing pronouns.

Exemples : Cette maison, ... très belle ! → Cette maison, **elle** est très belle !

Martine, je ... vois demain. → Martine, je **la** vois demain.

1. Ce lac, ... a des couleurs superbes !

2. Son nouveau costume, ... est magnifique !

3. Cette ville, je ne .... supporte pas !

4. Ses amis, il .... voit très peu.

5. Ses parents, Morgane .... a beaucoup aidés.

6. Cette montre, je veux .... offrir à papa pour son anniversaire.

7. Le temps aujourd'hui, ... est assez humide, finalement.

8. Philippe, je viens de .... voir.

5 Replace the complement (*COD* and *COI*) by the corresponding pronouns. Be careful of word order.

Exemples : Nous avons appelé Gérard pour avoir de ses nouvelles.

→ **Nous l'avons appelé** pour avoir de ses nouvelles.

1. J'ai demandé *à Charlotte* de me prêter son sèche-cheveux. → ....

2. Ces gamins lancent toujours des pierres *aux chiens*. Pas malin ! → ....

3. J'ai rangé *mes livres*. Regarde ! *(rangés)* → ....

4. Nous ne voulons plus voir *ces gens* ! → ....

5. Elle a perdu *son portable,* quand elle est sortie. → ....

6. Ils ont parlé *au notaire* ces jours-ci. → ....

6 Put the verbs in the imperative and replace the underlined word with the corresponding pronoun.

Exemple : Tu changes <u>cette lampe</u> de place. → **Change-la de place.**

1. Vous parlez de ça <u>à la secrétaire</u>. → ....

2. Tu soulignes <u>ces mots</u>. → ....

3. Vous faites entrer <u>monsieur Castaing</u>, s'il vous plaît. → ....

4. Tu accompagnes <u>Célia</u> chez elle. → ....

5. Nous demandons <u>des informations</u> à l'accueil. → ....

6. Tu pousses un peu <u>ta chaise</u>. → ....

7. Nous vendons <u>notre vieille voiture</u>. → ....

8. Tu descends <u>les marches</u> doucement. → ....

Tout va très bien !

Everything is going very well!

Tout (all, all of, the whole, every…) can be used as an adjective, an adverb or a pronoun. Its form changes with gender and with number, as shown in the table below.

	Singular	Plural
Masculine	Tout	Tous
Feminine	Toute	Toutes

- The different meanings conveyed by *tout* are clear from the context of the sentence. 'All (of)' and 'the whole (of)' are the two contexts most frequently employed.

  Toutes les villes de cette région organisent des festivals. **(All of the cities…)**
  La nuit, tous les chats sont gris. **(…all cats are grey.)**
  Elles ont dormi pendant tout le voyage. **(…for the whole journey.)**

- In the plural, *tous* or *toutes* can also mean 'every': *tous les jours* (every day), *toutes les trois heures* (every three hours).

  Le bus passe toutes les quatre minutes. **(The bus passes every four minutes.)**

- *Tout* can also be used as a pronoun with the meaning 'everything'. In this case, the word does not change with number or gender.

  Elle a tout acheté. **(She bought everything.)**

- *Tout*, used as an adverb, can be translated as 'completely', 'totally', or 'wholly' :
  Il est tout blanc. **(He is completely white.)**
  Like all other adverbs, there is no agreement with the adjective (or past participle) it describes:
  Elles sont tout étonnées. **(They are totally astonished.)**

- Two other important usages are: *tous les deux* (both *(pronoun)*) and *tout le monde* (everybody). *Tous les deux* becomes *toutes les deux* in the feminine, whereas *tout le monde* does not change.

  Bonne chance à tous les deux ! **(Good luck, both of you!)**
  La grande et la petite, toutes les deux étaient fatiguées. **(They were both tired…)**
  Tout le monde sait faire ça. **(Everyone…)**

Tous is pronounced [tus] when it is a pronoun and [tu] when it is an adjective:

  Venez <u>tous</u> ici immédiatement ! [tus]
  <u>Tous</u> les jours, je me lève à 7h30 du matin. [tu]

1 Listen and choose the correct sound each time: *tout [tu]*, *tous [tus]*, *toute/toutes [tut]*.

Exemple : *Nous avons tout compris !* → [tu]

	[tu]	[tus]	[tut]
1. Tous les pays sont représentés.	☐	☐	☐
2. Tous les mardis les musées sont fermés.	☐	☐	☐
3. Il faut prendre ce médicament toutes les huit heures.	☐	☐	☐
4. Ils sont tous très contents d'être là.	☐	☐	☐
5. Toute la presse parle de ça.	☐	☐	☐
6. Je n'ai plus rien à ajouter ; c'est tout !	☐	☐	☐
7. Nous venons tous chez toi samedi, d'accord ?	☐	☐	☐
8. Il a fait tout ce qu'il fallait.	☐	☐	☐

2 True (*vrai*) or false (*faux*)?

	Vrai	Faux
1. On prononce toujours *tous* [tus].	☐	☐
2. On prononce *tous* [tu], quand il est adjectif (devant un nom).	☐	☐
3. On prononce *tous* [tus], quand il est pronom (seul).	☐	☐

3 Complete with the correct form of *tout*.

Exemple : ... *les articles en vente ici sont produits dans l'UE.*
→ **Tous** *les articles en vente ici sont produits dans l'UE.*

1. Ils sont .... là.

2. .... les invités ont apporté un cadeau.

3. Nous voyageons .... le temps.

4. L'hiver, ... la ville semble endormie.

5. .... les places sont prises.

6. .... les journaux disent la même chose.

4 Make sentences using the words below.

Exemple : *leur vie / ils / ont travaillé / toute* → **Ils ont travaillé toute leur vie.**
Les élèves / présents / étaient / tous → **Tous les élèves** *étaient présents.*
Mais aussi : **Les élèves** *étaient* **tous** *présents.*

1. a sonné / toutes / le téléphone / les cinq minutes → ....

2. sont / nos efforts / inutiles / tous → ....

3. décidé / tout / a été / d'avance → ....

4. pour l'anniversaire / était / la famille / là / toute / de Luc → ....

5. me fatiguent / questions / toutes / ces → ....

6. les chocolats / as fini / tous / tu ? → ....

5 Listen to the recording of Exercise 4 and check your answers. Then repeat aloud and write the nouns with the sound [y], as in *lune*.

Mots avec le son [y] :

....

Tout, tout de suite !
Everything straight away!

PRESENT

- The reference to the **present** is made with the help of adverbs such as *maintenant* (now) or *aujourd'hui* (today): *Aujourd'hui, on se repose un peu.*

PAST

- The reference to the **past** is made with adverbs such as *hier* (yesterday), *avant* (before) or *autrefois* (in those days): *Avant, c'était mieux ?*

  - They can be combined with other adverbs or expressions of time: *avant-hier, hier (au) soir, hier matin, hier dans la journée...* (the day before yesterday, yesterday evening, yesterday morning, yesterday in the daytime): *Hier soir, j'ai regardé la télé.*

  - They can also be used with the adjective *dernier/dernière* (last): *Il a fait très froid la semaine dernière.*

- The reference to the past can also be made with the impersonal verb construction *il y a* + time span, which works in the same way as 'ago' in English: *Je l'ai connu **il y a trois ans**. (... **three years ago**) / Ils sont allés à Montréal **il y a un mois**.*

FUTURE

- The reference to the **future** can be made with the adjective *prochain* (next): *La semaine prochaine, c'est les vacances.* **(Next week it's the holidays.)**

- Or with one of the following adverbs:

  - *bientôt* (soon): *Tu vas bientôt t'arrêter de fumer ?*

  - *demain* (tomorrow): *Demain, ce sera un autre jour.*

  - *plus tard* (later): *Pouvez-vous rappeler plus tard, s.v.p. ?*

  - *tout de suite* (straight away): *Tu peux aller ouvrir tout de suite.*

  - *tout à l'heure* (later on): *D'accord ! On se voit tout à l'heure, au 46 rue Saint-Jacques.*

  Tout à l'heure can also be used to indicate an event in the recent past: *On t'a appelé tout à l'heure.* **(Someone just called you.)**

- To express that something will happen in the future, the preposition *dans* (in) is used: *Je reviens dans cinq minutes !*

FROM THE START TO THE FINISH

- The beginning of an action is expressed by the verb *commencer* (to start), with the adjective *premier* (first), with the noun *début* (start) or with the adverb *d'abord* (first): *Commence d'abord par faire tes devoirs !* **(Start off by doing your homework!)**

- The end of an action is expressed by the verbs *finir, arrêter* (to finish, to stop), with the adjective *dernier* (last) or the noun *fin* (the end); *continuer* (to continue) indicates that an action carries on in time.

1 Complete the sentences with adverbs that refer to the present or the past.

Exemple : ......, *on n'a plus de temps à perdre.* → **Maintenant,** *on n'a plus de temps à perdre.*

1. ...., on a inauguré une nouvelle école.
2. ...., j'ai plein de choses à faire.
3. ...., Maxime a eu mal à la gorge, mais cette semaine il va beaucoup mieux.
4. ...., on n'avait pas de carte de crédit pour payer.
5. D'habitude, on ne bouge pas le dimanche, mais ...., nous sommes allés à Antibes.
6. ...., je me suis levé de bonne heure.

2 Change the sentences by using the present and the near future + adverbs or prepositions that refer to the future.

Exemple : Hier après-midi, Frédéric est allé chez l'ophtalmologue. → **Aujourd'hui, Frédéric va chez l'ophtalmologue. / Demain après-midi, Frédéric va aller chez l'ophtalmologue.**

1. Ton frère a appelé tout à l'heure. → ....
2. Tu as vu Éléonore la semaine dernière ? → ....
3. Avant-hier, on a fait remplacer notre porte. → ....
4. Ils ont tout de suite appelé les gendarmes. → ....
5. Jeudi dernier, le Centre de la Sécurité Sociale a fermé une heure avant. → ....
6. Nous avons réglé notre facture hier. → ....

3 Express a length of time in the future using the information below.

Exemple : Je / être prêt / dix minutes → **Je suis prêt dans cinq minutes.**

1. un an / vous / devoir refaire / un bilan de santé / monsieur → ....
2. et / 30 secondes / vous / aller connaître / les gagnants ! → ....
3. une demi-heure / on / arriver → ....
4. vous / pouvoir repasser / dix minutes ? → ....
5. du calme ! / les soldes / commencer / une heure → ....
6. notre maison / être finie / quelques mois → ....

4 Translate these sentences into French using a dictionary if necessary.

1. The video-conference starts soon, in two or three minutes. → ....
2. Yves was here an hour ago. He'll come back later. → ....
3. Soon we'll have an answer from the insurance. ....
4. The children next door have stopped shouting, luckily! → ....
5. I saw François three days ago. → ....
6. How long will it take to get your new passport? → ....

5 Make a sentence with each of the following time expressions: *bientôt, il y a* + time span, *hier après-midi, vendredi prochain, tout à l'heure, maintenant, dans quelques jours.*

Exemple : **Nous allons** bientôt **nous installer dans les Landes.**

1. J'ai connu ....
2. Je suis allé(e) ....
3. Mathis fête ....
4. Tu devrais ....
5. Il faut...
6. Nous partons ....

Je te dis qu'on se trompe !
I'm telling you we're making a mistake!

- French frequently employs clauses introduced by *que*. These can be introduced by:

  - a verb: *Je pense que tu as tort.*

  - a noun: *J'ai l'impression que tu me mens !*

  - an adjective: *Je suis sûr que vous allez réussir.*

  Unlike English, without the word *que* the sentence has no meaning.

  'I think [that] you are wrong' translated as *Je pense que tu as tort.* But never ~~*Je pense tu as tort.*~~

- These constructions are often found when the subject of the verb is a person:

  Je t'annonce que tu vas être papa !
  Le directeur prévoit que notre entreprise crée de nouveaux emplois.

  The verb of the clause is in the indicative or the subjunctive. In some cases, the indicative and the subjunctive are both possible.

  The verb is in the indicative when it expresses a statement, an assertion, a certainty or an opinion as in the following verbs:

Admettre - to admit	*Constater* - to note	*Penser* - to think
Ajouter - to add	*Croire* - to believe	*Promettre* - to promise
Annoncer - to announce	*Décider* - to decide	*Reconnaître* - to recognise
S'apercevoir - to realise	*Découvrir* - to decide	*Remarquer* - to notice
Apprendre - to learn	*Espérer* - to discover	*Répondre* - to answer
Avertir - to warm	*Jurer* - to swear	*Savoir* - to know
Confirmer - to confirm	*Oublier* - to forget	*Trouver* - to find

1 Make sentences from the information below.

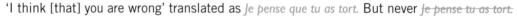
Exemple : son entreprise allait fermer (Anthony / être certain).
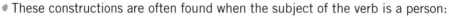
→ *Anthony était certain que son entreprise allait fermer.*

1. Victoria a bien réagi *(je / penser)* → ....

2. ils nous cachent quelque chose *(nous / avoir l'impression)* → ....

3. tu peux faire ça *(il / être sûr)* → ....

4. on ne pouvait rien faire *(elles / penser)* → ....

5. il a raison *(Élisabeth / reconnaître)* → ....

6. tout est simple ! *(vous / croire)* → ....

7. ce film est vraiment trop long. Pas toi ? *(nous / trouver)* → ....

8. Fred et Jessica ont reporté leur voyage au Vietnam *(je / apprendre)* → ....

2 Make sentences from the groups of words below.

Exemple : ***J'ai appris qu'on va construire un nouveau théâtre.***

À la télé, on annonce que   ***on va construire un nouveau théâtre.***

Enzo a découvert qu'

Nous avons appris que

les papiers de l'automobiliste étaient en règle.

la circulation est bloquée sur l'autoroute A6 toute la journée.

J'ai appris qu'

Les gendarmes ont constaté que

il y avait un petit olivier sauvage dans le jardin.

tous leurs biens iraient à l'association Emmaüs.

il y a un système d'alarme chez nous. Et la sirène, ça sonne fort !

la date de notre examen est fixée au 3 septembre.

J'oublie régulièrement qu'

Ils ont décidé que

 3 Listen to the answers from Exercise 2 and check your answers.

4 Translate the sentences into French using a dictionary if necessary.

1. Maxence has decided that he will follow a vegetable-based diet for two weeks. → ....
2. We thought that they were happy. → ....
3. We didn't know that the mayor wanted to resign. → ....
4. I think that it's the best thing to do. → ....
5. They all hope that the next launch of the Ariane rocket will be successful. → ....
6. Mathilde forgets easily that you have to keep your promises. → ....

5 Make six sentences from the information in the grid.

Exemple : ***Nous espérons que le climat restera stable cette année.***

Nous Le gouvernement Je	espérer que *(présent)* prévoir que *(présent)*	l'économie le climat la croissance	s'améliorer rester stable être positif/ve *(futur)*	l'année prochaine … … … … …

Pardon, mais c'est mon tour !

Excuse me, but it's my turn!

Voilà..., *c'est...* and *il y a...* can be used to present a person, an object or an event. They are frequently used in everyday speech.

- **Voilà** is the French word for 'here' or 'here it is'. It can be used as part of a sentence or as a word standing alone:

  Tiens ! Voilà Alban qui arrive ! (Look ! Here's Alban!)

  Et mon café alors ? – Voilà, voilà ! (And my coffee? – Here it is!)

  Voilà mes amis, Anaïs et Pierre. (Here are my friends Anaïs and Pierre.)

- **Il y a** translates into English as 'there is' or 'there are':

  Il y a eu beaucoup de monde à cette manifestation.
  (There were a lot of people at that demonstration.)

  Il y a quelqu'un ? (Is there anyone there?)

  - The inverted question form of *il y a* is *y a-t-il... ?*
    Y a-t-il encore des places assises ?
    (Are there still seats available?)

- **C'est** translates as 'it's' or 'they're'. It can be used for plural nouns as well:

  C'était mon voisin. (It was my neighbour.)

  Ce sont mes projets. (They're my plans.)

 Do not confuse *Il a de l'argent.* (He has money.) and *Il y a de l'argent.* (There is some money.). The first sentence refers to a person 'he'. The second is an impersonal construction (→ 37).

---

1   Change *c'est* into *voilà,* when possible.

Exemple : C'est mon frère, Julien. → **Voilà mon frère, Julien.**

1. Mais qu'est-ce que c'est ? – C'est un appareil électrique qui éloigne les moustiques.

→ ....

2. C'est monsieur Delas, mon ex-voisin. → ....

3. C'était un souvenir d'enfance. → ....

4. C'est trop long à expliquer ! → ....

5. C'est la liste des courses. Tu y vas maintenant ? → ....

6. C'est Edwige Weiss, ma nouvelle assistante. → ....

2 Make sentences with *il y a*, when possible.

Exemple : *Valérie aussi.* → **Il y a** *Valérie aussi.*

1. encore du gâteau au chocolat ? → ....
2. un accord officiel. → ....
3. un fils unique, Aurélien. → ....
4. ma carte bleue dans le tiroir ! → ....
5. du soleil ou il pleut ? → ....
6. une grosse fortune, au Luxembourg, lui ! → ....

3 Complete the table in the same way as the example.

Présence	Description	Identification
Exemple : **Il y a une photo dans son bureau.**	Elle est en noir et blanc.	C'est une photo en noir et blanc.
1.... un camion devant la boutique.	Il est gros.	....
2. Il y a un colis dans la salle d'attente.	....	C'est un colis abandonné.
3. ... un petit vent ce matin.	Il est humide.	....
4. Il y a une lettre pour vous.	... recommandée.	C'est une lettre recommandée.
5. ...un bon glacier dans le quartier	Il est italien.	....
6. ...un tournoi de tennis au Club municipal.	....	C'est un tournoi assez important.
7. Il y a une vente de tapis rue J.-J. Rousseau.	.... intéressante.	....
8. ...un jasmin sur mon balcon.	Il est très parfumé.	....

4 Translate these sentences into French.

1. There is still time! → ....
2. There is someone waiting outside. → ....
3. Ah! It's a message from Sofiane. → ....
4. Here's my brother Gaspard! He works in Indonesia, for Toyota. → ....
5. In this small village there is only one primary school. → ....
6. Is that you, Florent? Where are you? → ....

5 Complete with *il y a* or *c'est*, depending on the meaning of the sentence.

Exemple : *... du poulet, ce soir.* → **Il y a** *du poulet, ce soir.*

1. .... une librairie pas loin ?
2. .... un restaurant chinois ici ! Nous n'avons pas de frites !
3. Lui, ... ton collègue ou je me trompe ?
4. .... une odeur de brûlé, ici.
5. .... Enrico, mon partenaire mexicain.
6. Allez, les enfants ! .... l'heure des devoirs.

Le vent qui souffle
The wind that blows

- In French, relative pronouns are another way to express an adjective and qualify a noun:

  Ma chanson favorite = La chanson que je préfère

- Using relative pronouns also allows to avoid repeating the noun.

  *Peux-tu me passer **le sel** ? **Le sel** est sur la table.*
  (Can you pass me the salt? The salt is on the table.)
  *Peux-tu me passer le sel **qui** est sur la table ?*
  (Can you pass me the salt that is on the table?)

- Relative pronouns *qui* and *que* appear after the noun they replace. They can replace a person or a thing.

QUI (which, who)

Qui is always the subject of the verb that follows it.

Regarde le livre qui est sur l'étagère. **(Look at the book [which is] on the shelf.)**
La personne qui vient d'entrer s'occupe du personnel. **(The person who just came in looks after the staff.)**

QUE (that, whom)

Que is always the direct object of the verb that follows it.

Regarde le bouquet que Bruno m'a offert. **(Look at the bouquet [that] Bruno gave me.)**
La foule que tu vois là attend l'arrivée du Président.
(The crowd [that] you see there is waiting for the president to arrive.)

- As indicated in the above examples, in French the relative pronoun is obligatory, whereas in English it can be omitted.
  When referring to a person, more formal English translates *qui* as who and *que* as whom.

  Ayoub est le seul qui aime le thé. **(Ayoub is the only one who likes tea.)**
  C'est la femme que j'ai vue hier. **(That's the woman whom I saw yesterday.)**

REMEMBER!

- When followed by a vowel, *que* becomes *qu'*. The pronoun *qui* does not change in any circumstances.

  *La lettre **qu'**on a reçue est pour Patrick.*
  *C'est toi **qui** as fait cela ?*

- Do not confuse *qui* (relative pronoun) with *qui* (interrogative pronoun).

  *L'homme **qui** a ouvert la porte.* **(relative pronoun) (The man who opened the door.)**
  ***Qui** est là ?* **(interrogative pronoun) (Who is there?)**

- Relative pronouns can also be used for emphasis *(présentatifs)*.

  C'est lui qui a gagné.
  C'est elle que je veux voir.

1 **Join the two halves of the sentences below.**

Exemple : Le gardien du parking s'occupe aussi de l'électricité / qui sait tout faire
*→ Le gardien du parking **qui sait tout faire** s'occupe aussi de l'électricité.*

1. Le garçon est le frère de Pascal   **a.** que j'ai connu au Salon de l'Agriculture

2. Les mangues viennent du Brésil   **b.** qui passe

3. C'est une ville nouvelle   **c.** qui est devenue bergère dans le Larzac

4. Ernesto Ritzmann est importateur de café   **d.** qui sont sur mon bureau ?

5. Je pense à cette avocate   **e.** que j'achète

6. Tu me passes les ciseaux   **f.** qui est très dynamique

7. Tu as vu la nouvelle voiture   **g.** qui a raison.

8. C'est lui   **h.** qu'ils ont achetée ?

2 **Make a sentence each time with the words *qui* or *que*.**

*Exemples : Tu connais la personne ? Elle vient de passer. → Tu connais la personne **qui vient de passer** ?*
*C'est une promesse. Je la fais. → C'est une promesse **que je fais**.*

1. C'est un produit chimique. Il sert à nettoyer l'argent. → ....

2. Tu as bien choisi le cadeau. Tu l'as fait aux enfants. → ....

3. Diane achète toujours de beaux livres d'art. Ils sont d'occasion, en plus ! → ....

4. Leur fils se marie. Il a 45 ans ! → ....

5. Ce sont des arbres de la région. Ils poussent vite. → ....

6. La dernière nouvelle n'est pas bonne. Elle est dans tous les journaux. → ....

7. La nouvelle série policière de TV8 est bien faite. → ....

8. Léo veut vendre le portable. Il l'a acheté le mois dernier. → ....

3 **Translate the following sentences into French.**

1. Do you know the person who looks after the photocopier? → ....

2. Where is the TV [that] you just bought made? → ....

3. The number [that] you have dialled is not currently in service. → ....

4. Has the letter [that] you were waiting for arrived? → ....

5. It's the only pharmacy [that is] open on Sunday. → ....

6. The Duthions have a boy [who is] called Corentin. → ....

4 **Put the dialogue in the right order.**

Conversation entre Daniel et sa femme Soizic.

– Tu l'as retrouvé, ce chéquier que tu cherchais ?   → **1**

– Mais oui ! J'ai cherché partout, même dans les sacs à main que j'ai utilisés ces derniers jours. → ...

– Tu as bien cherché dans la maison ? → ...

– Alors, il faut peut-être prévenir la banque. → ...

– Oui, j'ai fouillé dans tous mes vêtements, mais rien ! → ...

– Ben non, je ne l'ai pas retrouvé. → ...

– Tu as aussi regardé dans les poches des vêtements ? → ...

 5 **Listen to the conversation of exercise 4 and check your answers.**

Cette année, vacances aux Caraïbes !
This year, holiday in the Caribbean!

- For continents, countries and regions French uses *en* or *à* and *de* where English uses 'in' or 'to'. The preposition in French changes depending on the gender of the word.

  As a general rule, singular nouns ending in *-e* are feminine. French uses *en* to mean 'to' or 'in' and *de* to mean 'from'. No article is necessary:

  J'habite en Bretagne. / Il revient d'Algérie.

- But certain names of countries ending in -e, for example, *le Mexique, le Cambodge, le Belize* are masculine and use *à* + article and *de* + article, as in the case of masculine countries.

  J'ai des amis au Mexique. / Mathieu revient du Cambodge le mois prochain.

  Here is a summary:

- **Names of countries**

AU, AUX DU, DES	EN DE
Masculine countries starting with a consonant: *au Guatemala, au Royaume-Uni du Liban, du Nigéria*	Feminine countries: *en Suisse, en Thaïlande d'Australie, d'Angleterre*
Masculine and feminine countries in the plural: *aux États-Unis, aux Maldives des Émirats, des Seychelles*	Masculine countries starting with a vowel: *en Iran, en Inde d'Angola, d'Uruguay*

- **Names of regions**

DANS DU	EN DE
Masculine regions starting with a consonant: *dans le Périgord, dans le Poitou du Sud-ouest, du Languedoc*	Feminine regions and masculine regions starting with a vowel: *en Normandie, en Vendée d'Anjou, d'Aveyron*

- For **towns and cities** the article is not used.
  'To' or 'at' is expressed by *à* and 'from' by *de* (*à Port-au-Prince, à Orange, de Saint-Malo*), except rare cases where it forms part of the name, for example: *Le Havre, Le Mans, La Mecque* (Mecca), *Le Caire* (Cairo)…

  J'ai pris le train de Dijon à Lyon.
  Daniel habite au Mans.
  Ces pèlerins reviennent de la Mecque.

1 **Read and underline the geographical terms.**

Exemple : En Angleterre, des noms de villes se terminent par chester, qui vient de castrum latin.

En France, on compte un certain nombre de sites préhistoriques, surtout dans le Sud-Ouest. En Dordogne et dans le Périgord se trouvent de célèbres grottes avec des peintures murales, comme celles de Lascaux ; dans le Lot, celles du Pech-Merle. Des sites de la même période, environ moins 20 000/15 000 ans ou même plus anciens ont été découverts en Espagne, au Portugal et en Italie.

2 **Complete by choosing the right preposition.**

Exemple : Ma tante vit à / en Auvergne. → Ma tante vit en Auvergne.

1. Je suis revenu *du / de* Francfort hier.
2. Dans *les / Aux* Seychelles, c'est toujours l'été !
3. Vous allez souvent *au / en* Luxembourg ?
4. Nous rentrons juste *de / de la* Turquie, où nous avons une maison au bord de la mer.
5. Où est-ce que tu es né, *dans le / à* Lyon ?
6. Nos amis habitent *en / dans la* Bretagne, à Morlaix.

3 **Make six sentences from the grid below.**

*Exemple : **Tu es allé à Florence pour Pâques ?***

| Nous
Les Vigner
Tu | aller
s'installer
*(futur proche/
passé composé)* | en, à,
dans, aux | l'Égypte f.,
les Caraïbes, l'Espagne,
le Poitou, le Périgord,
la Normandie, Florence | dans...
pour...
... |

4 **Fill in the right preposition in the sentence each time.**

Exemple : Tu es allé … Chine ? Vraiment ? → Tu es allé en Chine ? Vraiment ?

1. Beaucoup de jeunes venant ... Maroc, ... Algérie, ... Turquie cherchent du travail à l'étranger.
2. Nous sommes restés trois jours ... Amsterdam.
3. Leur fils revient … Nigéria où il travaille pour une compagnie pétrolière.
4. … Périgord, il y a des paysages superbes !
5. Sonia rentre … Australie le mois prochain ; elle y est restée un an.
6. … Irlande, la natalité est assez forte : plus de deux enfants par femme !

5 **Replace the words in italics with the word in brackets. Don't forget to use the right preposition!**

Exemple : David a de la famille en Australie. (États-Unis) → David a de la famille aux États-Unis.

1. Le séminaire aura lieu *à Toulon*, du 15 au 18 avril. *(Marseille)* → ....
2. *Aux Pays-Bas,* il y a des fromages très connus. *(Italie)* → ....
3. *Dans le Languedoc,* on enseigne la langue régionale. *(Bretagne)* → ....
4. Depuis qu'il a quitté la France, il n'est plus revenu de *Finlande. (Chili)* → ....
5. Les Grillet vont *au Québec*, en voyage organisé. *(Tibet)* → ....
6. Nous revenons *d'Égypte*, où nous avons passé un mois. *(Japon)* → ....
7. *En Normandie*, il y a beaucoup de touristes. *(Île-de-France)* → ....
8. Tu es allé *en Norvège* ? *(Danemark)* → ....

Ça suffit !
That's enough!

The demonstrative pronouns *ce, cela,* and *ça* can be used in a similar way:
– as 'it': *C'est très difficile !* (It's very difficult!) /
Cela n'a pas d'importance. (It does not matter.)
– or as 'this'/'that': *Cela ne signifie rien.* (This means nothing.) /
Tu vois ça ? (You see that?)

● **Ce** is used:

– with the verb *être* + noun to identify someone or something:

> *Mais c'est Monsieur Hulot !* (Oh, but its Mr Hulot!)
> *C'est un beau tableau !* (It's a beautiful painting!)

– with the verb *être* + adjective:

> *C'est très gentil à vous !* (It's very kind of you!)
> *C'est utile de parler les langues.* (It's useful to speak languages.)

– to refer back to a phrase or something mentioned in the speech:

> *Être journaliste aujourd'hui, c'est une grande responsabilité.*
> (To be a journalist nowadays it's a great responsibility.)

– having an abstract quality, along with a relative pronoun *que* or *qui.*

> *Fais tout ce que tu voudras.* (Do whatever you want.)
> *Il m'a raconté ce qui s'est passé hier.* (He told me what happened yesterday.)

● **Cela** can be used as a subject of verbs other that *être*:

> *Cela ne fait rien.* (It doesn't matter.) / *Cela me plaît beaucoup.* (I like that a lot.)

● **Ça** (shorter form of *cela*) is used in informal French and can be used to refer to:

– something not clearly expressed or something that has been previously mentioned:

> *Tu aimes ça ?* (*ça = ce film, cette glace, ce vêtement…*) (You like that?)
> *La tarte au citron, j'adore ça !* (Lemon tart, I love that!)

– something abstract:

> *Ça va bien!* (*Ça* can mean *la santé,* (health) *la vie,* (life) *le travail,* (work).) (It's going fine!)

– another clause:

> *Ça me fatigue de répéter les mêmes choses !* / *Répéter les mêmes choses, ça me fatigue !*
> (It's tiring to repeat the same things! / Repeating the same things, that tires me!)

● **Ça** is used in many common expressions:

> – *Comment ça va ?* (How are you? / How is it going?)
> – *Ça me plaît beaucoup.* (I like that a lot.)
> – *Qu'est-ce que c'est que ça ?* (What on earth is that?)
> – *Ça suffit !* (That's enough!)

1 Read the sentences and underline the words that *ça* refers to, if possible.

Exemple : **Faire de la voile,** *j'aime ça !*

1. Regarde tous ces nuages ! Je n'aime pas ça !
2. Comment ça va aujourd'hui ? Un peu mieux ?
3. Je prends le costume gris. Combien ça coûte ?
4. Arrêtez ! Ça suffit !
5. Les infos à la télé, tu regardes ça ?
6. Cette écharpe est trop chère. Tu achètes ça ?

2 Use *ça* or *cela* to replace the repeated words where possible.

Exemple : Tu as pris mon portable ? Rends-moi mon portable immédiatement !
→ **Rends-moi ça immédiatement !**

1. Vous avez de la charcuterie corse ? J'adore la charcuterie corse ! → ....
2. On a annoncé l'ouverture d'un nouveau lycée. Ce lycée était indispensable pour le quartier.
→ ....
3. Cédric reste toujours chez lui. Je ne vois jamais Cédric. → ....
4. Alors, ton nouveau travail, tu aimes ton nouveau travail ? → ....
5. Alex a une copine. La copine d'Alex s'appelle Jade. → ....
6. Tu as acheté un nouveau sac ? Fais-moi voir ce sac. → ....
7. Je n'ai pas compris ce que tu as dit. Tu peux me répéter ce que tu as dit ? → ....
8. J'accompagne un couple d'amis au Louvre. Je connais ce couple d'amis depuis longtemps.
→ ....

3 Match the two halves of the sentences.

Exemple : Il pleut, prends ce parapluie / prends ça, je t'en prie
→ **Il pleut, prends ce parapluie. Prends ça, je t'en prie.**

1. Les accusés ont tout avoué et
2. Nous partons aux Caraïbes !
3. Le site était splendide.
4. La documentation est prête, mademoiselle.
5. Les difficultés de notre secteur sont graves.
6. On a parlé longtemps.

a. Ça, c'est super !
b. Ça lui a fait du bien.
c. Vous allez envoyer cela à la direction.
d. cela a beaucoup frappé le public.
e. Cela datait du Ier siècle.
f. Cela nous conduit à modifier nos prévisions, messieurs.

4 Listen to the recording of Exercise 3 and check your answers.

5 Translate the sentences into French.

1. Who said that? → ....
2. It's important to read the small print before signing a contract. *(le texte écrit en petit)*
→ ....
3. Things are clear, that's evident. → ....
4. Our holidays were pleasant. It was a period of real rest. → ....
5. But what on earth is that? → ....
6. You need money? Take this, please. → ....

À carreaux ou à rayures ?
Checked or striped?

Prepositions are often used in very different ways in English and in French.
Some of the more useful prepositions are explained below.

À

This preposition can be used to indicate:

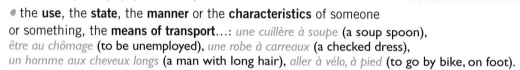

- the **time**: *à Pâques, à 8 heures.*
- the **relationship** between subject and object (possession):
  À qui est ce foulard ? – Il est à moi !
- the place (before the names of cities and countries (→ *64*):
  Les jeux olympiques se sont passés à Londres, en 2012.
- the **use**, the **state**, the **manner** or the **characteristics** of someone
or something, the **means of transport**…: *une cuillère à soupe* (a soup spoon),
être au chômage (to be unemployed), *une robe à carreaux* (a checked dress),
un homme aux cheveux longs (a man with long hair), *aller à vélo, à pied* (to go by bike, on foot).

CHEZ

- *Chez* is used to indicate the place where someone lives and can also be used for the names
of some shops, companies or persons:
  Je vais chez le boulanger. (I'm going to the baker's.)
  Luc travaille chez Total. (Luc works at Total.)
  Tu vas chez Sophie tout à l'heure ? (Are you going to Sophie's later?)
  Tu es chez toi ce soir ? (Are you at home tonight?)

- *Chez* can also be used before certain plural nouns:
  On est invité chez des amis. (We are invited to our friends' place.)
  Chez les Romains, on mangeait allongé. (The Romans used to eat in a reclined position.)
  Vous venez chez nous demain ? (You are coming over to our home tomorrow?)

DANS

We use *dans* to indicate:

- the place where something or someone is:
  Ne cherche plus. La montre est dans ma poche.
  (Don't look any further. The watch is in my pocket.)
- the period of time (→ *40*) during which something will happen:
  Dans un mois, ce sera l'été. (In a month, it will be summer.)

EN

En is use to indicate:

- the **place** (→ *64*): *Ils vont en Normandie. / Il vit en province.*
- the **state** of something, a style of **dress**, the **material** of an object, the **mode of transport**:
  en vacances, en pyjama, en or, en voiture…

1 Choose the correct preposition to complete the sentences. Remember to make any changes that might occur when the preposition combines with an article.

Exemple : Ce chemisier de/à petits carreaux me plaît ! → *Ce chemisier **à** petits carreaux me plaît !*

1. La vie est moins chère *en/dans* province, c'est sûr !

2. *En/Au* Maroc, la saison touristique dure toute l'année.

3. *À/Chez* nos voisins, on fait une fête, ce soir.

4. Ce bracelet est *en/dans* or et argent.

5. Avant de servir, il faut ajouter une cuillerée *de/à* soupe de crème fraîche.

6. Étienne et Delphine vont *aux/en* Seychelles, à Noël.

2 Change the words in italics for a phrase with the preposition *chez* or *à*.

Exemple : Dans l'appartement de Léa il y a trop de bruit ! → ***Chez Léa** il y a trop de bruit !*

1. La réunion s'est tenue à une centaine de kilomètres au nord de Paris, *dans la ville d'Amiens.*

→ ....

2. *Dans la boutique de notre boulanger,* on vend aussi de très bons gâteaux ! → ....

3. *Dans la maison d'Elsa,* les fenêtres sont toujours fermées, même s'il fait chaud.

→ ....

4. Nous avons fait une halte *dans le village de Rocamadour,* en Dordogne. → ....

5. Ils reçoivent beaucoup d'amis *à la maison.* → ....

6. *En Égypte,* pendant cinq mille ans, la religion était très présente dans la vie quotidienne.

→ ....

3 Listen and complete the conversation. Then read it aloud with a friend.

Exemple : – Vous êtes … vous ce soir ? → *– Vous êtes **chez** vous ce soir ?*

    – Oui, pourquoi ?

    – Je passerai vous dire bonjour.

1. – Tu es passé .... le cordonnier ?

– Ah ! Non, j'ai oublié. J'irai demain matin tôt, avant d'aller .... bureau.

2. – Il est très beau ton sac ; il est .... quoi ?

– .... cuir, je crois, mais il y a aussi du tissu avec ces motifs assez originaux.

3. – Tu es fatiguée ? Tu veux rentrer .... la maison ?

– Non, non, ça va ; on va rester jusqu'à la fin. Ce spectacle est tellement beau !

4 Complete with the prepositions *dans, en* or *à*, with an article if needed.

Exemple : Quel désordre … chambre de Cyrille ! → *Quel désordre **dans la chambre** de Cyrille !*

1. Parfois, il faut chercher .... dictionnaire l'orthographe d'un mot.

2. Ces touristes font un voyage .... France, ...

Royaume-Uni et .... Espagne, en très peu de temps.

3. Il y a des musiciens .... rue ; tu entends ?

4. J'ai cherché partout ce papier et il était .... tiroir de la table !

5. Jean a fait cinq cents kilomètres .... moto, en une seule fois !

6. .... bientôt ! On se voit .... une semaine, alors.

Vous êtes peintre ?

You are a painter?

French and English differ on their usage of the article. This unit will deal with the occasions when no article is required in French:

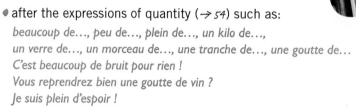

- where an article is present in English to refer to a job or occupation, it is absent in French:

  Elle était pharmacienne avant. (**Before, she was a pharmacist.**)
  Tu es chanteur ? Super ! (**You are a singer? Wow!**)

- after the expressions of quantity (→ 54) such as:

  beaucoup de…, peu de…, plein de…, un kilo de…,
  un verre de…, un morceau de…, une tranche de…, une goutte de…
  C'est beaucoup de bruit pour rien !
  Vous reprendrez bien une goutte de vin ?
  Je suis plein d'espoir !

- with prepositions *en, à, pour* when they are used to express characteristics of something or someone:

  une pièce en argent (**a silver coin**)
  un couteau à fromage (**a cheese knife**)
  une pince à linge (**a clothes peg**)
  un coiffeur pour hommes (**a man's hairdresser**)

- after the preposition *sans*: *Je suis sans travail.*

- with *Monsieur, Madame*: *« Madame, s'il vous plaît… »*

- in adresses: *Monsieur Legrand habite rue de la Paix.*

- in lists (*voitures, motos, vélos…*), in newspaper titles (*Violent orage à Brest*), adverts (*Soldes. Studio à vendre*).

- in set phrases such as *avoir peur de quelqu'un ou quelque chose* (to be scared of someone or something), *faire peur à quelqu'un* (to scare someone), *rendre service à quelqu'un* (to do something for someone), *faire attention à quelqu'un ou à quelque chose* (to pay attention to someone or something), *avoir envie de quelque chose* (to want something):

  Les fantômes font peur aux enfants. (**Ghosts scare children.**)
  Le concierge me rend souvent service. (**The concierge often does things for me.**)
  J'ai envie d'une glace au chocolat ! (**I want a chocolate ice cream!**)

The article is also absent after *Quel* (What) as used in exclamations:

  Quelle dommage ! (**What a shame!**)
  Quelle belle chambre ! (**What a beautiful room!**)

1 Answer the questions using the words in brackets.

Exemple : — *Où habite madame Boulogne ?* (Madame Boulogne / place Georges Guyot / Marseille)
→ ***Madame Boulogne habite place Georges Guyot, à Marseille.***

1. Elle est belle, ta bague Art Nouveau ! Elle est en quoi ? *(argent)* → ....

2. Il y a encore un couturier dans ton quartier ? *(oui, y avoir / couturier / hommes)* → ....

3. Où doit-on livrer lc frigo, monsicur ? *(livrer / 5, Rue André Danjon / 2ᵉ étage, à gauche)* → ....

4. De quoi s'occupe madame Allard ? *(être / professeur / histoire médiévale)* → ....

5. À quoi sert ce couteau ? *(ce, être / couteau / beurre)* → ....

2 Match the two halves of the sentences.

Exemple : Toute la classe / a rendu visite à son ancien professeur de français.
→ ***Toute la classe a rendu visite à son ancien professeur de français.***

1. Est-ce que tu   **a.** a eu peur de se tromper de chemin.

2. Vous   **b.** avaient envie d'arriver.

3. L'autre soir, en rentrant, il   **c.** rendons service à notre voisine, de temps en temps.

4. Après une longue absence, ils   **d.** as pris rendez-vous avec le dentiste ?

5. Nous   **e.** vais faire attention, je te le promets.

6. Je   **f.** avez faim, soif ? Vous êtes fatigués ?

3 Listen to the recording of Exercise 2 and check your answers.

4 Use an expression of quantity to complete the sentences below.

Exemple : Tu me passes (tranche / pain) *?* → ***Tu me passes une tranche de pain ?***

1. Il y avait *(beaucoup / monde)* au concert hier ? → ....

2. Au petit-déjeuner, je mange *(morceau / pain)* et de la confiture avec du thé. → ....

3. D'ici à Rouen, ça fait *(sept heures / route)* à peu près. → ....

4. Moi, je prends du café avec *(une goutte / lait)*. → ....

5. Il y a *(peu / touriste)* cette année, moins que d'habitude. → ....

5 Change these newspaper headlines into sentences.

Exemple : Premier débat au Parlement : climat tendu. (être)
→ ***Pour le premier débat au Parlement, le climat est tendu.***

1. Inondations en Russie : toute une région à genoux. *(mettre à genoux)* → ....

2. Dialogue social de retour. *(être)* → ....

3. Aide aux sinistrés : montant non précisé. *(préciser)* → ....

4. Baisse du chômage : une excellente nouvelle. *(être)* → ....

5. Météo du mois d'août : de la pluie et du beau temps. *(prévoir)* → ....

6. Match Espagne-France reporté à jeudi. *(être)* → ....

6 Translate these sentences into French using a dictionary if needed.

1. I live in the center; rue de l'Arsenal. → ....

2. It's a very pretty cotton and silk jacket, at an interesting price. → ....

3. What good news! → ....

4. Here is your coffee! With or without sugar? → ....

5. They were all there; friends, parents, uncles, aunts, cousins... → ....

Je pense à toi
I am thinking about you

- In French, some verbs need a preposition to link with their complement, which is called *complément d'objet indirect* (COI). This differs from the COD (→ 41) where the complement follows without a preposition. Prepositions used include: *de, à, avec, vers, par, pour, en, dans, contre...*

  – *appartenir **à*** = to belong to: *Il appartient à un groupe de supporters de l'équipe de basket.*

  – *aller **chez** (le médecin/un ami...)* = to go to: *Tu vas chez le coiffeur tout à l'heure ?*

  – *arriver **par** (le train/l'avion...) ...)* = to arrive by: *On arrive par le train de 10h30.*

  – *se promener **dans** (la rue/un parc...)* = to walk in: *Nous nous sommes promenés dans le parc ce matin.*

  – *commencer/finir **par*** = to start/end by: *Il a commencé par remercier toutes les personnes présentes.*

  – *s'appuyer **contre*** = to lean on/against: *Je me suis appuyée contre le mur pour ne pas tomber.*

  – *parler **à*** = to speak to: *Le directeur parle volontiers à ses collègues.*

  – *lutter **contre*** = to fight against: *Il a lutté toute sa vie contre les injustices.*

  – *voter **pour** (un candidat/un parti)* = to vote for: *Pour qui as-tu voté aux dernières élections ?*

- The use of prepositions with verbs often differs between English and French, for example:

  ### *de*

  – *dépendre **de*** = to depend on: *La signature du contrat dépend des résultats des essais.*

  – *s'approcher **de*** = to approach someone/something: *Je me suis approché du lit doucement.*

  – *changer **de*** = to change something: *Séverin a changé de travail récemment.*

  – *s'occuper **de*** = to care for: *Il s'occupe des enfants l'après-midi.*

  – *tenir **de** (sa mère, son père...)* = to take after: *Jeanne tient de son père, elle a le même nez !*

  – *avoir besoin **de*** = to need something/someone: *Avez-vous besoin de quelque chose, madame Firman ?*

  – *arrêter **de*** = to stop doing something: *Il a arrêté de fumer, il y a un an.*

  – finir *de* = to finish with something: *Avez-vous fini de raconter des histoires ?*

  ### *à*

  – *arriver **à*** = to arrive at/in: *Je viens d'arriver à Marseille.*

  – *comparer **à*** = to compare to: *Si on compare l'idée à la réalité, on risque d'être déçu.*

  – *être **à*** = to belong to: *Mais ce parapluie rouge, là, il est à toi ?*

  – *s'intéresser **à*** = to be interested in: *Tu t'intéresses à quoi finalement ?*

  – *jouer **à*** = to play: *Pauline et Renaud jouent au foot.*

  – *penser **à*** = to think of/about: *Pense à tes études d'abord !*

  – *obéir **à*** = to obey someone: *Ce chien n'obéit qu'à son maître.*

  – *commencer **à*** = to start doing something: *Elle a commencé à jouer au tennis à l'âge de 8 ans.*

1 Underline the verbal constructions as in the example.

*Exemple : **Il s'approche de** la porte tout doucement.*

1. Bruno tient beaucoup de son grand-père.

2. Ils ont déjà pensé à l'organisation du prochain séminaire.

3. Il s'intéresse à l'informatique maintenant.

4. Il change d'avis très souvent.

5. On s'approche des vacances.

6. Nous sommes à Paris et nous pensons bien à vous.

2 Choose the right preposition to complete the sentences: *chez, d', du, de.*

Exemple : Je vais .... Alicia demain. → *Je vais **chez** Alicia demain.*

1. Les enfants s'approchent .... petit oiseau qui s'envole tout de suite.

2. Nous nous occupons .... une association d'aide aux personnes âgées.

3 Je vais .... le médecin à 15h.

4. Vous avez profité .... une bonne occasion !

5. Tu ne dois pas t'approcher .... feu, d'accord ?

6. Valentin et Océane ont changé .... voiture deux fois cette année.

3 Make sentences using the verb and the tense in brackets.

Exemple : Robert ... tout. (s'intéresser, imparfait) → ***Robert s'intéressait à tout.***

1. Ils .... le bus Aix-Lourmarin de 17h. *(arriver, présent)*

2. Il .... l'art du Paléolithique. *(s'intéresser, passé composé)*

3. .... tes études d'abord ! *(penser, impératif, 2ᵉ pers.sing.)*

4. Les alpinistes .... sommet, enfin ! *(s'approcher, présent)*

5. Il .... une équipe de chercheurs. *(appartenir, imparfait)*

6. Cela .... temps. *(dépendre, présent)*

4 Translate into French using a dictionary if necessary.

1. Our association is interested in environmental problems. → ....

2. Antoine has changed address. Did you know? → ....

3. You are very curious. You are interested in everything! → ....

4. Have you thought about the consequences of that decision? → ....

5. I often think about you, I miss you lots. → ....

6. He calls his fiancée every day. → ....

7. Is it yours, this red scarf? Nice colour! → ....

8. If you compare the idea to reality you risk being disappointed. → ....

5 Listen to the translation of Exercise 4 and check your answers.

À votre santé !
Cheers !

Possessive adjectives can be used in different ways in French and English:

- possessive adjectives are used in the same way with words that refer to **clothes** or **accessories**:
  Je prends mon parapluie. (I take my umbrella.)
  J'enlève ma veste. (I take off my jacket.)
  Je mets mes gants. (I put my gloves on.)

- possessive adjectives are frequently replaced by the definite article in French when referring to **parts of the body**:
  Elle ferme les yeux. (She closed her eyes.)
  J'ai mal à la tête. (My head hurts.)

- The possessive adjective is however used if:

  - an adjective qualifies the part of the body.
    J'adore tes beaux yeux. (I love your beautiful eyes.)

  - the part of the body is the subject of the sentence.
    Ses mains étaient grandes et fortes. (Her hands were big and strong.)

- There are also several idioms that use possessive adjectives, such as the following:

  - *gagner sa vie* (to earn a living)
    Je gagne ma vie en faisant des traductions. (I make a living by translating.)

  - *faire son possible* (to do what you can)
    Je vais faire mon possible pour toi. (I'm going to do all I can for you.)

  - *faire de son mieux* (to do your best)
    Ils ont fait de leur mieux. (They did their best.)

  - *prendre ses vacances* (to go on holiday)
    Elle a pris ses vacances en juillet. (She went on holiday in July.)

  - *perdre son temps* (to waste your time)
    Tu perds ton temps à regarder la télé ! (You're wasting your time watching TV!)

- French can also use an emphatic form to refer to possession.
  Ton *grand-père* **à toi,** *il habite toujours dans le Cantal ?*
  (Your grandfather, does he still live in the Cantal?)
  Mon *fils* **à moi,** *il ne ferait jamais ça !* (My son would never do that!)

- After *et* and *ou* the possessive is always repeated. This is not always the case in English.
  Elle a mis ses gants et son chapeau. (She put her gloves and hat on.)

1 Underline the clauses where the usage of possessive adjectives is different in French and English.

Exemple : Quand prennent-ils leurs vacances ? → **_Quand prennent-ils leurs vacances ?_**

1. Tu a fait ton possible, mais c'était diffficile.

2. Marianne et Sandrine voient leurs amis toutes les semaines.

3. Il a fait de son mieux, mais son professeur n'était pas satisfait.

4. Dis donc, tu as fait ta toilette bien rapidement, ce matin !

5. Carine m'invite dans sa maison à la montagne.

6. Théo doit étudier davantage. Ses notes ne sont pas bonnes.

7. Elle a mis son manteau et ses gants et elle est partie.

8. Beaucoup de jeunes gagnent difficilement leur vie.

9. Ils ont perdu leur temps, comme prévu !

2 Complete the grid of the possessive adjectives. Use Exercise 1 to help you.

	Singulier		Pluriel
	Masculin	Féminin	Masculin et Féminin
Il / Elle	son	....	... gants / ....
Ils / Elles	... temps /	leurs .... / leurs vacances

3 Match the two parts of the sentences. Then listen to the recording and check your answers.

Exemple : Vos conseils / sont tout à fait justes. → **_Vos conseils sont tout à fait justes._**

1. Hier, William m'a présenté   **a.** ton cours d'archéologie ?

2. J'ai fait   **b.** ses parents.

3. À quelle heure tu as   **c.** de mon mieux pour les aider.

4. Une amie à moi qui vit en Roumanie   **d.** ta veste !

5. Mets   **e.** vient de m'annoncer son arrivée.

6. On a annulé   **f.** tous nos rendez-vous. Demain on se repose !

4 Change the possessive, as in the example, and the rest of the sentence as appropriate.

Exemple : Mon emploi *du temps est très chargé, ce mois-ci.* (elle)
→ **_Son emploi_** *du temps est très chargé, ce mois-ci.*

1. *Ta sœur* travaille dans l'export ? *(il)* → ....

2. Il gagnait bien *sa vie*, mais maintenant.... *(ils)* → ....

3. *Votre numéro* de téléphone est sur la liste rouge ? *(elles)* → ....

4. Elle fait *son possible* pour leur rendre la vie agréable ! *(ils)* → ....

5. *Ses parents* vont bien maintenant. *(ils)* → ....

6. Tu as fait de *ton mieux*, même si le résultat n'est pas parfait. *(il)* → ....

5 Translate these sentences into French.

1. Mr Barré always takes his umbrella when he goes out. → ....

2. Your neighbours, the ones who are really nice, how are they doing? → ....

3. I'll put my jacket on and I'll be there. → ....

4. Bernard makes a good living but he has no free time. → ....

5. Have you seen your uncle who lives in Mauritania again? → ....

Crois-moi !

Believe me!

The verb *croire* has two stems in the present indicative:

croi- [kʀwa] before silent endings (-s, -t, -ent).

croy- [kʀwaj] before voiced endings (-ons, -ez).

The full pronunciation is shown below:

Croire [kʀwaʀ]		
Person	Spoken	Written
1st person singular		**Je croi**-s
2nd person singular	[kʀwa]	Tu croi-s
3rd person singular		Il/elle croi-t
1st person plural	[kʀwajɔ̃]	Nous **croy**-ons
2nd person plural	[kʀwaje]	Vous croy-ez
3rd person plural	[kʀwa]	Ils/elles croi-ent

● The past participle is *cru*: *J'ai cru voir Jack dans la rue.*

● The imperative is *crois, croyons, croyez*: *Tout va bien, croyez-moi.*

● The *imparfait* is formed with the stem *croy-*: *Il croyait que tu étais chez toi.*

● The future and the conditional are formed from the stem *croir-*: *Je n'y croirais pas si tu disais ça.*

● *Croire* allows a construction with a direct complement: *Je le crois.* (I believe it.),
and constructions such as *croire que* (to believe that): *Je crois qu'il est souffrant.* (I think he is ill.).

REMEMBER!

● In the *imparfait*, the first person and second plural are as follows: *nous croyions, vous croyiez*.

● *Croire* is used in set phrases such as:

  ● *Faire croire à quelqu'un que* = To make someone believe that:
    Ils veulent nous faire croire qu'ils n'étaient pas au courant !
    (They want to make us think that they didn't know!)

  ● *Croyez-moi/crois-moi* = Believe me, trust me:
    Crois-moi, c'est la meilleure solution !

  ● *Vous ne croyez pas/Tu ne crois pas que…*, expressions used to ask less direct questions:
    Vous ne croyez pas qu'il exagère ? **(You don't think he might be exaggerating?)**

1 Answer the questions.

Pour le verbe *croire* au présent :
1. à l'oral, il y a   4 formes ☐   3 formes ☐   5 formes ☐
2. à l'écrit, il y a   5 formes ☐   6 formes ☐   4 formes ☐

2 Complete with the verb *croire* in the future or in the conditional.

Exemples : Je te ... quand tu diras la vérité. → Je te **croirai** quand tu diras la vérité.

1. Il fait froid. On se .... en hiver.
2. Tu me .... si je te disais que je suis riche ?
3. Vous ne me .... peut être pas, mais j'ai vu un OVNI.
(= Objet Volant Non Identifié)
4. Tu .... ce que tu voudras : moi, je te dis que c'est vrai.
5. Vous êtes vraiment trop naïfs : vous .... n'importe qui.
6. Quel orage ! On .... que c'est la fin du monde !
7. Je le ...., si je le voyais.
8. Est-ce qu'ils .... notre version des faits ?

3 Write the correct verb form and make any changes that are necessary.

Exemples : Je crois que tu as raison. (imparfait) → *Je croyais que tu avais raison.*

1. Ils ont cru bien faire. *(présent)* → ....
2. Mélanie croit que le rendez-vous est à cinq heures ? *(imparfait)* → ....
3. Je crois entendre des voix dans le jardin. *(passé composé)* → ....
4. Croyez à tout ce qu'il dit. *(présent)* → ....
5. Tu ne me crois peut-être pas, mais c'est la vérité. *(futur)* → ....
6. De l'extérieur, on croit que la maison est vide. *(conditionnel)* → ....
7. Elles croient pouvoir y arriver. *(passé composé)* → ....
8. Je croyais que Mathieu était à la maison. *(présent)* → ....

4 Translate these sentences into English.

1. N'insistez pas, c'est inutile, croyez-moi. → ....
2. Ils ont fait croire à Christian qu'ils allaient au Pôle Nord ! → ....
3. Il ne faut pas croire que tous les moyens sont bons. → ....
4. Vous ne croyez pas qu'il faut se reposer un peu, maintenant ? → ....
5. J'ai tout lu et relu avec attention, crois-moi. → ....
6. Tu ne crois pas que ma patience a des limites ? → ....

5 Complete with the verb *croire* as shown.

Exemples : Nous ... que tu étais souffrant. (imparfait) → **Nous croyions** que tu étais souffrant.

1. Vous ne .... pas que c'est l'heure d'aller se coucher ? *(présent)*
2. Tu .... ça possible ? *(imparfait)*
3. Elle .... bien faire. *(passé composé)*
4. On ne le .... pas, mais c'est comme ça ! *(conditionnel)*
5. Ils .... encore que la Terre est plate ! *(présent)*
6. C'est un très bon livre, ...moi. *(impératif, vous)*

C'est difficile à dire
It's hard to say

Both *c'est* and *il est* can be the equivalent of 'it is' or 'this is' in different situations. They are however not interchangeable.

C'EST

- ● *C'est* + *proper noun (Yves, Zoé...)*, **determinant** (articles, possessive adjectives...) + **noun** *(mon voisin, le plombier...)*, or **a pronoun** is used to:

    - ● **identify:** *Regarde, c'est Léo.* (Look, it's Léo!) / *C'est de l'or !* (This is gold!)
    C'est un professeur de mon lycée. (It's a teacher...) / *C'est lui !* (It's him!)

    - ● **présent:** *C'est Arthur, mon voisin.* (This is Arthur; my neighbor.)
    C'est ma nouvelle moto. Tu aimes ? (This is my new motorbike. Do you like it?)

- ● *C'est à* + **moi, toi, lui...** or **a noun** (→ 23) is used to express possession:

    C'est à qui, ce sac ? (It's whose, this bag?)
    C'est à Valentin, ce blouson ? Non, ce n'est pas à lui. (It's Valentin's this jacket? No, it's not his.)

- ● *C'est* + **disjunctive pronoun** or **noun** + **qui** *(c'est moi / toi / lui / elle / nous / vous / eux / elles)* is used to emphasise the subject:

    C'est toi qui as fait ça, n'est-ce pas ? – Non, ce n'est pas moi. (You did that didn't you? – No, it's not me.)
    C'est André qui a laissé ce mot ? (Is it André who left this note?)

- ● *C'est* + **adjectif/adverbe** is used to refer back to something already mentioned or to the situation in general:

    C'est sympa de ta part ! (It's nice of you!)
    Ce n'est pas drôle. (This is not funny!) / *C'est bien !* (That's good!)

IL EST

- ● *Il est* is used in telling the time and in phrases concerning time:

    Il est cinq heures. (It's five o'clock.) / *Quelle heure est-il ?* (What time is it?)
    Il est temps de partir. (It's time to go.)

- ● *Il/Elle est* + **adjective** or **complement** refers back to a noun already mentioned, *il* for a masculine noun and *elle* for a feminine noun. Both are translated as 'it' in English:

    <u>*Mon ordinateur*</u> *s'est bloqué.* <u>*Il*</u> *est vieux.* (My computer has crashed. It's old.)
    <u>*Ma voiture*</u> *est en panne.* <u>*Elle*</u> *est chez le garagiste.* (My car is broken down. It's at the garage.)

- ● *Il/Elle* + **professional or social status** (without article):

    Il est cuisinier, il est très compétent. / Elle est infirmière, elle est spécialisée en pédiatrie.

YES	NO
C'est ma sœur ; **elle est** informaticienne.	~~Elle est ma sœur ; c'est informaticienne.~~
C'est Joe. **Il est** irlandais, de Dublin.	~~Il est Joe. C'est irlandais, de Dublin.~~
C'est mon frère ; **il est** informaticien.	~~Il est mon frère, c'est informaticien.~~
Nous faisons de l'escalade, **c'est** fatigant.	~~Nous faisons de l'escalade ; il est fatigant.~~
Mon numéro de portable, **c'est** le 0635529724.	~~Mon numéro de portable, il est le 0635529724.~~

1 Fill in the grid following the example.

Exemple : Charles est vétérinaire.	Il est vétérinaire.	C'est un vétérinaire.
1. Camille est étudiante.	....	C'est une étudiante.
2. David est photographe.	....	....
3. Anne-Laure est pharmacienne.	Elle est pharmacienne.	....
4. Jorge est mexicain.	....	C'est un Mexicain.
5. Son père est comptable.	Il est comptable.	....
6. Madame Gelly est mère de quatre enfants.	....	C'est une mère de quatre enfants.
7. Monsieur Gomes est gardien de phare.	....	....

2 Tick the correct words and complete the sentences.

Exemples : Nous partons en Inde ; ... super ! → *Nous partons en Inde ;* **c'est** *super !*
Laurie n'est pas là : ...sortie. → *Laurie n'est pas là :* **elle est** *sortie.*

	C'est	Il est	Elle est
1. Mon neveu ? ... encore au collège.	☐	☐	☐
2. ... elle qui vient d'appeler.	☐	☐	☐
3. Tu me passes mon portable ?... sur le buffet.	☐	☐	☐
4. Vous m'accompagnez au supermarché ! ... gentil !	☐	☐	☐
5. ... un jeune écrivain. Il a publié deux romans.	☐	☐	☐
6. ... suédoise, d'Uppsala.	☐	☐	☐

3 Translate into French using a dictionary if necessary.

1. It's a wonderful day! → ....
2. Let me introduce you to Paul. He's a lawyer like his father! → ....
3. Raoul has found a job. It's good news. → ....
4. Is it tomorrow or the day after Michel's birthday? → ....
5. Hi, it's me. I'll be there at eight. → ....
6. Joëlle is happy, she found her ring! *(retrouver)* → ....

4 Complete the conversation with *ce, il, elle* + *être*, depending on the meaning. Then listen to the recording and check your answers.

Carole : Allô ! .... bien le 02 56 87 54 33 ? Je voudrais parler à madame Allard.
Secrétaire : Oui, bonjour ! .... de la part de qui ?
Carole : Carole Allard, sa fille.
Secrétaire : Je vous la passe.
Carole : Maman, ... toi ? Victor est arrivé ; ....
à la gare Montparnasse. Je peux prendre la voiture pour aller le chercher ?
Mme Allard : Oui, bien sûr. Tu sais où .... garée, la voiture ?
Carole : Euh ! Non, pas vraiment.
Mme Allard : .... devant la pharmacie de la rue de Moscou.

Quelle station ? Celle-ci ?
Which station? This one?

Demonstrative pronouns have both simple and complex forms. They refer to a noun that has already been expressed and must agree with it in both gender and number:

	Singular		Plural	
	Masculine	**Feminine**	**Masculine**	**Feminine**
Simple Forms	celui	celle	ceux	celles
Complex Forms	celui-ci celui-là	celle-ci celle-là	ceux-ci ceux-là	celles-ci celles-là
Other	ce, ceci, cela (ça)			

● **Celui, celle, ceux, celles**

   ● They replace noun phrases:

   *Je vais mettre cette robe, **celle** que je viens d'acheter.*
   (I'm going to put on this dress; the one I have just bought.)
   *Je ne trouve plus mon stylo, **celui** qui était sur mon bureau.*
   (I can't find my pen; the one that was on my desk.)

   ● They can be followed by either:

   • a relative clause.

   *Je prends quel plat, **celui qui** est sur la table ?* (... the one [that's]...)
   *C'est sa nouvelle voiture. Elle a enfin acheté **celle qu'**elle voulait depuis un moment.*

   • or the preposition *de* followed by a noun clause.

   La délégation japonaise est arrivée, mais pas celles de Chine et du Vietnam.

● **Ce, ceci, cela**

   ● *Ce*, as in the expression *c'est*, and *ceci* et *cela* can replace a noun phrase, a verb or an entire sentence (→ 71):

   Les Alpes, c'est superbe ! (The Alps; they're superb.) / *Tu as triché : c'est grave.* (You cheated; it's serious.) / *Il pleuvait, cela ne le dérangeait pas.* (It was raining, that didn't worry him.) / *Lisez ceci, c'est très intéressant.* (Read this; it's very interesting.)

   ● *Ce* introduces someone or something with the construction *c'est* (→ 62):

   C'est mon cousin. (It's my cousin.) / *C'est la maison de mes parents.* (It's my parents' house.)

   ● When the demonstrative is used to indicate an alternative *-ci* or *-là* is added to the pronoun.

   On s'assoit à quelle table ? Celle-ci ou celle-là, près de la fenêtre ?
   (Which table shall we sit at? This one here or that one over there by the window?)

REMEMBER!

In principle *-ci* is used to indicate something closer to the speaker and *-là* something further away. However, in reality *-là* is almost always used irrespective of distance.

1 Underline the demonstrative pronouns and *ci/là* or *qui/que*.

Exemple : Mélanie t'a encore appelé. Mais qu'est-ce qu'elle veut, **celle-là** ?

1. Ce tableau me plaît, mais je préfère ceux qui appartiennent à la première période du peintre.
2. Ceux qui sont d'accord lèvent la main.
3. Dans une interview d'Angela Hegel, philosophe allemande, celle-ci analyse les problèmes de la solidarité entre les pays européens.
4. Mais cette route est bien plus longue que celle-là. Regarde la carte !
5. Les spectateurs ont longuement applaudi l'orchestre et le chef. Celui-ci a fait bisser le final.

2 Add the demonstrative pronouns + *ci/là* or + *qui, que*, depending on the sentence.

Exemple : La police mène une enquête, mais … semble être difficile.
→ La police mène une enquête, mais **celle-ci** semble être difficile.

1. J'ai pris connaissance de votre CV. .... correspond pleinement au profil de notre poste.
2. André ne m'a pas rendu mes DVD,............ je lui ai prêtés le mois dernier !
3. Quelle photo je dois mettre dans mon CV ? .... ou .... ?
4. Nous accusons bonne réception de votre plainte .... sera traitée rapidement.
5. Ils ont encore reporté des mesures urgentes ; .... devaient être prises avant la fin de l'année.

3 Translate into French.

1. – Can you pass me those papers? → ....
– Which papers? → ....
– The ones I just bought. → ....
2. This one here is my favourite picture! → ....
3. The postman brought a letter, but not the one I was waiting for. → ....
4. It's hot in here. Open a window, that one for example. → ....
5. It is that one, your house? → ....
6. The first one to answer wins. → ....

4 Put the conversation into the right order. Then listen to the conversation and check your answers.

Conversation entre Richard et Hugo

– La deuxième a l'air mieux. L'autre, celle à 250 euros, ça ne me convainc pas. → ...
– C'est ça. Prends l'hôtel quatre étoiles ! Ça va être un super week-end ! → ...
– Dis, je fais quoi, alors ? Je prends l'offre à 250 euros, vol + hôtel tout compris, ou bien celle-ci, à 400 euros, dans un hôtel quatre étoiles ? → **1**
– Oui, tu n'as pas tort ; des offres à un prix trop bas, ça peut réserver de mauvaises surprises. → ...

5 Put the correct demonstrative pronoun.

Exemple : La décision était attendue, mais… intervient trop tard.
→ La décision était attendue, **celle-ci** intervient trop tard.

1. Appuyez sur le premier bouton. Si .... clignote, appuyez sur la touche #.
2. Quand M. Ferrat a rencontré ses locataires, ... lui ont annoncé qu'ils quittaient l'appartement.
3. Tu as une minute ? Je mets ce collier ou .... que tu m'as offert pour mon anniversaire ?
4. Le Parlement a approuvé la loi de finances. .... prévoit des économies dans tous les secteurs.
5. Qu'est-ce que je vais apporter aux Salvador ? Cette boîte de chocolats ou .... ?
6. On a regardé tous les matchs de la Coupe, mais .... d'hier soir a vraiment été le meilleur !

Il est passé par là
He went that way

• The use of the prepositions *par* and *pour* can cause problems as they are written and pronounced in a similar fashion.

PAR

The preposition **par** [paʀ] is used in the following ways:

• as an agent or instrument:

Elle est élue par les électeurs du Sud-ouest. (...elected by the voters...)
C'est la plus célèbre chanson chantée par Les Beatles. (...sung by The Beatles.)

• as a way or manner: *Je suis venu par le train.* (I came by train.)

• to indicate the cause: *Ils nous ont aidés par gentillesse.* (They helped us out of kindness.)

• to indicate distribution: *deux par deux* (two by two), *trois fois par jour* (three times a day).

L'aller-retour est de 18 euros par personne. (A return ticket is 18 Euros per person.)

• along, through, lying on: *tombé par terre* (fallen on the ground), *par la fenêtre* (through the window).

Mon pot de géranium est tombé par la fenêtre à cause du vent.
(My geranium pot fell out from the window because of the wind.)

• *Par* is also used in the verbal constructions *commencer par, finir par*:

Il a commencé par le récit de sa vie. (He started by telling his life story.)
Il a fini par accepter mon invitation. (He finally accepted my invitation.)

POUR

The preposition **pour** [puʀ] is used to express:

• a destination: *Pour Nantes, c'est quel quai ?*

• a length of time: *Nous avons fait les courses pour une semaine.*

• an objective (*pour* + infinitive): *Il est sorti pour aller travailler.*

• a relationship (*pour* + noun or pronoun): *Ce cadeau est pour toi !*

• These prepositions are used in many expressions such as:

apprendre par cœur (to learn by heart)
par exemple (for example)
être pour (to be/in favour of)
cinquante pour cent (50 percent/50%)

1 Listen to the sentences and underline the uses of *par*.

Exemple : Nous avons su qu'il était malade <u>par un ami commun</u>.

1. Pour aller à Lyon, je suis passé par Auxerre.

2. Serge a envoyé ce colis par avion. Il est pour toi.

3. Jean-Claude part pour Genève par le TGV de 7h45.

4. Les vainqueurs du concours sont attendus par les autorités dans la salle Jean Moulin.

5. L'entrée du musée est de sept euros par personne.

6. Ils ont fait ça par amitié pour nous.

2 In the sentences above what is the usage of *par*? Tick the right box.

Par indique :	**Phrases 1**	**2**	**3**	**4**	**5**	**6**
• le lieu (passage, mouvement)	☐	☐	☐	☐	☐	☐
• le moyen	☐	☐	☐	☐	☐	☐
• l'agent d'une action (personne, chose)	☐	☐	☐	☐	☐	☐
• la cause	☐	☐	☐	☐	☐	☐
• la distribution	☐	☐	☐	☐	☐	☐

3 Listen and complete with *par* or *pour*.

*Exemple : J'ai acheté ces fleurs … toi, mon amour. → J'ai acheté ces fleurs **pour** toi, mon amour.*

1. Cette nouvelle est diffusée .... une agence de presse.

2. Nous sommes allés en Bretagne .... le mariage de Régis.

3. Il faut manger quatre ou cinq fruits .... jour. Tu le savais ?

4. La route .... Orange est bloquée depuis ce matin.

5. .... prudence, je n'ai rien dit.

6. Ils sont un exemple .... nous tous.

4 Add a complement to *par* or *pour*. Use these suggestions for help : *l 'occasion – le train de 8h – l'achat de produits de luxe – le premier ministre – le quartier des Lilas – les deux cents délégués – personne.*

*Exemple : ils ont invité tous leurs proches. → Ils ont invité tous leurs proches **pour l'occasion**.*

1. la visite du château coûte douze euros → ....

2. on arrive mardi après-midi → ....

3. il faut continuer tout droit → ....

4. les critiques de l'opposition sont sans fondement → ....

5. les visiteurs étrangers dépensent beaucoup d'argent → ....

6. les travaux du Congrès sont suivis avec intérêt → ....

5 Make six sentences from the grid below.

*Exemples : **On a fini par aller au restaurant.***
*　　　　**On commence par La Marseillaise et on finit par l'Hymne à la Joie.***

Ils	finir par	nom	...
Nous	commencer par	infinitif	...
On	(→ *conjugaison F. 80*)		
Il	(*présent, passé composé*)		

Un instant, s'il vous plaît !
A moment, please!

In French there are many ways to express different terms linked to time such as **simultaneity** (taking place at the same time), **repetition**, **duration** and **frequency**. (→ *40*)

- **Simultaneity** can be expressed by: *en même temps, au même moment...*

  Ils sont tous arrivés en même temps.
  Au même moment, la musique s'est arrêtée brusquement.

- **Repetition** can be expressed by:

  - [number] *fois* (time): *Fais-le encore une fois !*

  - adverb:
    - *encore* in the sense of *de nouveau* (once more).
    Et voilà ! L'ascenseur est encore en panne !
    - *souvent* (often/frequently). *On se voit souvent, ces derniers temps.*
    - *tout le temps* (always). *Tu dis tout le temps la même chose !*

- **Duration** can be expressed by words such as:

  - *un moment, un instant, une seconde, une minute.*
  Patientez un instant, s'il vous plaît.
  - *longtemps, depuis longtemps.*
  On ne reste vraiment pas longtemps. Désolé.
  Je le connais depuis longtemps.
  - *pendant* and *depuis.*
  J'ai dormi pendant tout le film ! / Nous nous connaissons depuis le lycée.

REMEMBER!

Année, matinée, soirée, journée express a duration rather than a time.

  J'ai passé la journée à nettoyer le jardin. (= from the start of the day until the end.)

- **Frequency** is expressed by *tous/toutes les* followed by a word indicating a time or by *fois*, preceded by a number:

  Ouvert tous les jours.
  Prenez un comprimé deux fois par jour, avant les repas.
  Tu fais du yoga deux soirs par semaine ? Bravo !

  Frequency can also be indicated by the following adverbs: *jamais* (never), *quelquefois* (sometimes), *souvent* (often), *tout le temps* or *toujours* (always):

  Il venait nous voir quelquefois, pas très souvent.

1 Underline the words that express repetition (R), duration (D), and frequency (F) and write R, D or F at the end of the sentence. Write // if none of these are present.

*Exemples : **Deux fois par semaine**, on mange du poisson. → F*
Mon frère travaillait chez HSBC avant. → //

1. J'achète ce magazine quelquefois, quand il y a des articles intéressants. → ....

2. Asseyez-vous une minute ou vous êtes pressé ? → ....

3. Cette caméra ne marche pas ; elle est encore en panne ! → ....

4. Il faut prendre ce médicament après les repas. → ....

5. Nous avons dansé toute la soirée ! → ....

6. Patrick a téléphoné de nouveau : il attend une réponse. → ....

2 Choose the correct term to complete each sentence.

*Exemple : l'autre jour, Julien a demandé une augmentation à son patron souvent/**de nouveau**/toujours*
*→ **L'autre jour, Julien a de nouveau demandé une augmentation à son patron.***

1. monsieur Robichon vivait en Camargue *avant/tout le temps/un instant* → ....

2. nous avons passé à chercher le manuel d'utilisation de l'imprimante *deux fois par mois/ encore/la matinée* → ....

3. il a des doutes *quelquefois/une seconde/plus tard* → ....

4. pouvez-vous repasser ? *toujours/plus tard/toute la matinée* → ....

5. le magasin est ouvert sauf le dimanche *souvent/tous les jours/un instant* → ....

6. nous avons vécu à Rome *une année/toutes les 8 heures/une seconde* → ....

3 Translate these sentences into French.

1. That child spends the whole day in front of the TV. It's not possible! → ....

2. We've known the Doria family for a long time. → ....

3. Don't all speak at the same time please! → ....

4. You should read a few pages every day. → ....

5. They work at night twice a week. → ....

6. More adverts! It's unbearable! → ....

4 Write sentences which express repetition.

*Exemple : Robert / être / les Hervieu → **Robert est tout le temps chez les Hervieu.***

1. Elle / avoir / des migraines → ....

2. Ce robinet / fuir *(présent)* → ....

3. Madame Laroche / apporter *(présent)* / des cadeaux / pour les enfants → ....

4. Lui, il / être irrité / C'est pénible ! → ....

5. Vous / faire *(présent)* du bricolage / chez vous ? → ....

6. À la télé / on / passer (présent) / *Le Seigneur des anneaux* → ....

5 Listen and complete the dialogues.

*Exemple : – Mes parents ont… en Tunisie. → **– Mes parents ont longtemps habité en Tunisie.***
*– Et tu allais les voir … ? → – Et tu allais les voir **quelquefois** ?*

1. – Tu as pris ton sirop .... comme a dit le médecin ? – Non, j'ai dormi ....

2. – Zoé s'entraîne .... avec Raph ? – Oui, ... par semaine seulement.

3. – Je m'occupe de cette lampe .... Ça doit être un court circuit. – Tu peux faire ça ....

4. – José a .... été un peu solitaire ; il est .... chez lui et il sort très peu. – Tu l'appelles .... ?

Tu t'appelles comment ?

What's your name?

Certain verbs ending in *-er* have two stems: one before a silent *-e* and the other before pronounced vowel.

Verb		
Acheter	j'achète	nous achetons
Enlever	j'enlève	nous enlevons
Préférer	je préfère	nous préférons
Appeler	j'appelle	nous appelons
Jeter	je jette	nous jetons

Here are some of these verbs:

● Verbs which have **a silent *e* as the penultimate syllable of the infinitive**, *acheter* (to buy), *emmener* (to take), *enlever* (to remove), *geler* (to freeze), *se lever* (to get up), *peser* (to weigh), *se promener* (to walk out)… take a grave accent on the *e*: *j'ach**è**te* [aʃɛt], *tu emm**è**nes* [amɛn], but not in front of a pronounced vowel (*-ons, -ez*): *nous ach**e**tons* [aʃətɔ̃], *vous emm**e**nez* [aməne].

> *Tu emmènes Sylvain à l'école, ce matin ?/ Il gèle ce matin, il fait -4°!*
> *Nous achetons nos légumes au producteur. / Enlevez votre manteau ! Il fait chaud.*

● But some verbs ending in **-eler** and **-eter**, *appeler* (to call), *épeler* (to spell), *feuilleter* (to browse), *jeter* (to throw), *renouveler* (to renovate) double the consonant *l* or *t* before a silent *e*: *j'appe**ll**e* [apɛl], *tu je**tt**es* [ʒɛt], but not in front of a pronounced vowel (*-ons, -ez*): *nous appe**l**ons* [apəlɔ̃], *vous je**t**ez* [ʒəte].

> *Je t'appelle demain. / Où est-ce qu'on jette le plastique ?*
> *Vous épelez votre nom, s'il vous plaît ? / Nous feuilletons toujours les vieux journaux.*

● Verbs which have ***é* as the penultimate syllable of the infinitive**, *accélérer* (to accelerate), *compléter* (to complete), *espérer* (to hope), *exagérer* (to exaggerate), *préférer* (to prefer), *répéter* (to repeat), *transférer* (to transfer)… change the *é* to *è* before a silent vowel: *je préf**è**re,* [pʁefɛʁ], *ils accél**è**rent* [akselɛʁ], but not in front of a pronounced vowel (*-ons, -ez*): *nous préf**é**rons* [pʁefeʁɔ̃], *vous accél**é**rez* [akseleʁe].

> *Qu'est-ce que tu préfères ? Du thé ou du café ? / On espère vous revoir bientôt.*
> *Nous te répétons que c'est impossible ! / Vous exagérez !*

1 Complete the present tense sentences with the verb in brackets.

*Exemple : Nous … un médecin, tout de suite. (appeler) → Nous **appelons** un médecin, tout de suite.*

1. Émilien .... tous ses vieux meubles. *(jeter)*
2. Qu'est-ce que tu .... ? *(feuilleter)*
3. Vous .... votre nom, s'il vous plaît ? *(épeler)*
4. Ils .... leur garde-robe tous les ans. *(renouveler)*
5. On .... demain, en fin d'après-midi ? *(s'appeler)*
6. Quand il pêche, il .... toujours les poissons à l'eau. *(rejeter)*

2 Listen and complete the sentences.

1. Le jus de fruit est fini ; j'en .... ?
2. Tu .... même le persil ?
3. Tu peux .... les pommes de terre ?
4. Ne .... pas ce papier par terre !
5. Vous vous .... comment ?
6. Il voudrait .... la vieille maison de ses parents.

3 Match the two parts of the sentences.

Exemple : Je lève / mon verre à la santé de tous les présents.
*→ **Je lève mon verre à la santé de tous les présents.***

1. Combien pèse   **a.** les phrases suivantes.
2. Qu'est-ce que vous préférez ?   **b.** le petit ?
3. Complétez   **c.** le verbe *zozoter* ?
4. Le siège de notre société   **d.** des fruits ou un dessert ?
5. Enlève   **e.** est transféré au 25, rue de Lille.
6. Tu peux m'épeler   **f.** ta casquette, s'il te plaît !

4 Change the verb as shown by the person in brackets.

*Exemple : Monsieur Tremblay appelle les pompiers. (ils) → **Ils appellent** les pompiers.*

1. Les enfants jettent tout par la fenêtre. C'est dangereux ! *(Il)* → ....
2. Nous préférons l'avion au train. *(ils)* → ....
3. On se promène calmement dans le parc, le dimanche. *(nous)* → ....
4. Tu exagères toujours ! *(vous)* → ....
5. À quelle heure vous vous levez demain ? *(tu)* → ....
6. Nous espérons vous voir bientôt. *(je)* → ....

5 Translate these sentences into French.

1. Hugo regularly takes the children to school. *(amener, les enfants)* → ....
2. Complete these sentences. → ....
3. I'll call you back later. → ....
4. We hope that the situation improves. *(s'améliorer)* → ....
5. They buy everything at the market. → ....
6. These plants are freezing, you have to cover them. *(couvrir)* → ....

Ici ou là ?

Here or there?

In French, just as in English, there are many different ways to indicate location.

- To **indicate a place** we can use:
    - the noun *un endroit* (place):
      *C'est à quel **endroit** ?*
    - the verb *être* or *se trouver* followed by a preposition:
      *Ils **sont** à Liverpool, aujourd'hui.*
    - The adverbs *ici* (somewhere nearby), *là* and *là-bas* (somewhere further away):
      *Viens **ici** !*

When the words *ici* and *là*, (here and there) are not used to emphasise or to show a difference (*Ici, c'est à moi et là, c'est à vous.*); *là* is often used instead of *ici*:

  Bonjour. Asseyez-vous là en attendant.

- To express **relative position** we can use:
    - nouns: *extérieur, intérieur, haut, bas, gauche, droite…*
      Les sodas ? C'est là, à votre gauche.
    - adjectives: *J'ai mal au bras droit. C'est grave ?*
    - adverbs: *à gauche (de), à droite (de).*
      Prenez à gauche et vous y êtes. / À droite de l'ascenseur, il y a la porte de la cave.
    - *au-dessus (de)/au-dessous (de), dedans/dehors, devant/derrière, en haut/en bas…* that often come in pairs.
      Passe devant ! Tu vas être mieux !
    - prepositions of place such as *devant/derrière, sur/sous, avant/après* which are followed directly by a noun.
      Voilà ! Tes lunettes étaient sous le journal !
    - other prepositions of place such as *à côté (= tout proche, très près)* and *en face* use *de*.
      On habite en face de l'hôpital. Pas gai !

- Other frequently used prepositions of place include *à, dans, en*: *Je vais à l'opéra ce soir.* For the use of *à, dans, en* before geographical terms (→ 64).

REMEMBER!

Don't confuse *sur* and *sous*: *sur* [syʀ] which indicates a higher position (on [top of]) with *sous* [su] which is used for a lower position (under).

  Il y a déjà de la neige sur les sommets. (…on the mountain tops.)
  Laisse couler l'eau sous les ponts. (….under the bridges.)

1 Underline the word(s) used to indicate place.

*Exemple : Ton bureau, c'est **à quel endroit** précisément ?*

1. Mais quel désordre ici !

2. Ah ! Vous êtes déjà là ?

3. Sur le mur extérieur il y a des fissures. Tu as vu ?

4. Le café *Le Franc Tireur* est juste à côté, à gauche.

5. C'est beau ici ! Et dehors la vue est magnifique !

6. Demain et après-demain, je suis là, mais pas vendredi.

7. Si tu as besoin de moi, je suis à côté.

8. Sous les pavés, la plage ! *(Slogan de 1968)*

9. Nous sommes à Saint-Tropez depuis une semaine.

10. Juste avant la Poste, il y a un cordonnier.

 2 Listen and when you hear it, mark the sound [y], as in *tu*.

*Exemple : **Sur** la chaise !* → [y]

[y]		[y]
1. ☐		**5.** ☐
2. ☐		**6.** ☐
3. ☐		**7.** ☐
4. ☐		**8.** ☐

 3 Listen and complete the dialogue.

Valérien, treize ans, et sa mère.

– Maman, je ne trouve pas la commande de la télé.

– Elle doit être .... la petite table, comme d'habitude.

– Elle n'y est pas.

– Regarde .... le tiroir à côté.

– Non, il n'y rien ....

– Elle est peut-être tombée .... la télé.

– Oui, elle est .... !

4 Write the opposite of these sentences by changing the word in italics.

Exemple : Vous prenez la première à gauche. → *Vous prenez la première **à droite**.*

1. Ton journal est là, *sous le buffet.* → ....

2. Il y a une nouvelle boutique juste *devant le kiosque.* → ....

3. *Au-dessus de la fenêtre,* la peinture est abîmée. → ....

4. J'ai trouvé ce sac *en haut de l'escalier.* → ....

5. *Viens là,* à côté de moi. → ....

6. L'avion volait *au-dessous des nuages.* → ....

 5 Listen to the answers to Exercise 4. Then read out loud. Careful with the pronunciation.

Tu la reconnais ?

Do you recognise her?

- The verb connaître (to know) has two stems in the present indicative:
  - *connai-* [kɔnɛ] before silent endings *(-s, -t)*.
  - *connaiss-* [kɔnɛs] before voiced endings *(-ons, -ez)* and the third person plural *(-ent)*.

The full pronunciation is shown below:

Connaître [kɔnɛtʀ]		
Person	**Spoken**	**Written**
1st person singular		Je **connais**
2nd person singular	[kɔnɛ]	Tu connais
3rd person singular		Il/elle connaît
1st person plural	[kɔnɛsɔ̃]	Nous **connaiss**ons
2nd person plural	[kɔnɛse]	Vous connaissez
3rd person plural	[kɔnɛs]	Ils/elles connaissent

- The past participle is *connu*: *J'ai connu Massoud quand on était au lycée.*
- The imperative is *connais, connaissons, connaissez*: *Connais-toi toi-même.*
- The *imparfait* is formed with the stem *connaiss-*: *On la connaissait bien.*
- The future and the conditional are formed from the stem *connaîtr-*: *J'espère qu'on ne connaîtra plus jamais ça !*

Reconnaître (to recognise) is conjugated in the same way as *connaître*.

- *Connaître* is one of two French verbs which can be translated into English as 'to know'. More precisely, *connaître* means 'to have an understanding of, to be familiar with' whereas *savoir* (→ 56) means 'to be aware of', 'to have learnt' or 'to have been told about'. *Je connais bien ce problème. / Je sais réparer les motos.*

REMEMBER!

Connaître can be formed with a noun or a pronoun: *Je connais la musique ! / Margaux, est-ce que tu la connais ?*

1 For each sentence underline the form of *connaître* and indicate the tense or the mood: *indicatif présent, passé composé, imparfait, conditionnel, futur proche.*

Exemple : Est-ce que vous connaissez un menuisier dans notre quartier ? → **Indicatif présent**

1. Je ne le connais pas mais je connaissais ses parents. → ....

2. Ils ont connu la faim pendant la guerre. → ....

3. Nous connaissons nos limites. → ....

4. Est-ce que tu connaîtrais un bon ostéopathe ? → ....

5. Vous connaissiez la situation il y a un an ? → ....

6. On va bientôt connaître les résultats des élections. → ....

2 Change the subjects into the plural: *je* → *nous, tu* → *vous, il/elle* → *ils/elles.*

Exemple : Est-ce que tu reconnais cet endroit ? → **Est-ce que vous reconnaissez cet endroit ?**

1. Elle connaissait Séverin depuis deux ans. → ....

2. Tu ne connaîtrais pas le numéro des Narcy par hasard ? → ....

3. Je reconnais là le grand artiste ! → ....

4. Il a connu des moments difficiles. → ....

5. Je n'ai pas reconnu Bernard, tu sais ! → ....

6. Tu connais cette chanson ? → ....

3 Translate these sentences into French.

1. The high school students will soon know the Baccalauréat results. *(lycéens)* → ....

2. You knew my grandfather! Really? → ....

3. You know how many languages? → ....

4. He knew very well the situation. → ....

5. We don't know her family. → ....

6. They recognised their old friend straightaway. → ....

4 Change the forms of *connaître/reconnaître* into the person indicated.

Exemple : Je connais un restaurant très sympa. (nous) → **Nous connaissons** un restaurant très sympa.

1. Vous avez reconnu Francis? *(tu)* → ....

2. Tu connaissais les conditions du contrat. Pourquoi cette réaction alors ? *(vous)* → ....

3. Il le reconnaîtrait difficilement, après tant d'années ! *(je)* → ....

4. J'ai connu Mathieu pendant les vacances de Pâques. *(ils)* → ....

5. Ils connaissaient les intentions du propriétaire de l'appartement ? *(vous)* → ....

6. Tu connaîtrais le nouveau digicode du portail, par hasard ? *(elle)* → ....

5 Complete the dialogues with the right form of *connaître*. Then listen to the recording and check your answers.

Exemple : – J'... le nouvel ami de Flore. → **J'ai connu** le nouvel ami de Flore. **– Et il est comment ?**

1. – Tu .... la rue de Douai ? – Oui, je .... Elle est près de la rue Blanche.

2. – Quand Emma était à l'école, elle .... la grammaire par cœur. – C'est vrai ?

3. – Vous .... un certain Bohin ? – Non, je ne .... personne de ce nom.

4. – Loïc et Eva se .... depuis vingt ans, tu sais ? – Tant que ça ?

Pour quoi faire ?
To do what?

To express the idea of cause, consequence or purpose, we use the following expressions:

- **cause** can be expressed using:
    - *à cause de, avec, grâce à, par, pour* + noun (→ 73):
      Il doit redoubler à cause de ses mauvais résultats.
    - two juxtaposed clauses: *Je ne vais pas sortir. Il pleut.*
    - two clauses joined by *car*:
      Elle n'est pas venue car il pleuvait.
    - two clauses joined by *parce que* (because):
      Pourquoi tu ne viens pas avec nous ? – Parce que je n'en ai pas envie.
    - *pour* + infinitive: *Pourquoi elle est venue ? – Pour s'excuser.*

- **consequence** can be expressed using:
    - *jusqu'à* (until), *pour* (for):
      Il s'est ému jusqu'aux larmes. / Je suis trop fatigué pour continuer à travailler.
    - two clauses joined by *alors* (then), *donc* (therefore):
      Il y a de la fumée donc, il y a du feu.

- **purpose** can be expressed using:
    - *à, de, pour* + noun or infinitive (→ 66, 73):
      un fer à repasser, des chaussures de ski
    - two clauses joined by *afin de* or *pour* + infinitive:
      Elle a fermé la fenêtre afin d'éviter les courants d'air. / Je fais des économies pour acheter une mobylette.

1 Underline the sentences that express a cause.

Exemple : Il court parce qu'il est en retard. → *Il court parce qu'il est en retard.*

1. Nous avons tout fait pour leur confort.
2. Le train est arrivé en retard à cause d'une panne d'électricité.
3. Avec tous ces travaux, la circulation est ralentie.
4. Pour la tranquillité de tout le monde, ne faites pas de bruit après 22h.
5. Renaud n'a pas réagi, car il n'a pas eu notre message.
6. Vous devez me donner votre avis parce que c'est important.

2 Express the cause in a different way using *parce que, car, avec, à cause de…*

Exemple : La croissance baisse à cause des difficultés économiques.
→ *Avec les difficultés économiques, la croissance baisse. / La croissance baisse parce qu'il y a des difficultés économiques.*

1. Avec la chaleur, cette fenêtre ne s'ouvre plus. → ....
2. Il n'arrivait pas à parler parce qu'il était fatigué. → ....
3. L'espérance de vie augmente parce que les conditions matérielles sont meilleures. → ......
4. Le prix du raisin a baissé à cause de l'abondance des vendanges. → ....
5. Avec l'été, les horaires des boutiques changent. → ....
6. Il y a plein de gens dehors parce qu'il fait beau. → ....

3 Mark the box when a consequence is being expressed.

Exemple : J'ai sonné, il n'y avait personne, alors je suis rentrée.
→ *J'ai sonné, il n'y avait personne, **alors je suis rentrée**. ☒*

1. Didier est très têtu ; par conséquent, il n'écoute jamais personne. ☐
2. On a cherché des informations sur Internet pour pouvoir répondre au questionnaire. ☐
3. Il n'y avait pas de taxi ; alors nous avons fait de l'auto-stop. ☐
4. Ils ont mis le volume de la télé très fort et tout le monde s'est réveillé. ☐
5. Le bureau était fermé ; je n'ai pas pu retirer mon passeport. ☐
6. Je n'entends rien avec ce bruit. ☐

4 Match the two halves of the sentences. Then listen to the recording and check your answers.

Exemple : Je voyage / pour mon plaisir . → *Je voyage pour mon plaisir.*

1. Tous les pays s'engagent
2. Le directeur a tout essayé
3. Virginie a vu que le frigo était vide
4. Il souffre d'insomnie,
5. Par jeu, on se déguisait

a. pour la réussite du plan contre la faim.
b. pour ne pas être reconnu.
c. et elle est sortie faire des courses.
d. afin d'éviter la faillite de son entreprise.
e. alors la nuit il lit.

5 Advertising slogans have many words that express a purpose. Use the suggestions to invent four slogans using *pour* + infinitive, and *pour* + noun.

1 un vélo d'appartement (SV-Roulex 225 BIKE) / **2** des croquettes pour chats (Chat-Chat) /
3 une chaîne de meubles à bas prix (Domus) / **4** une eau de toilette pour hommes (Vigueur)
Include the following:
– the purpose *(forme/équilibre physique, bien-être/poil brillant, fonctionnel…)*
– the qualities of the product *(parfait, résistant, design, moderne, gourmand, densité, senteur de bois, audace…)*
Exemple : Pour une conduite sécurisée, nouvelle **Dolce Vita** Slimo XP ! La perfection à 4 roues !
1. ....
2. ....
3. ....
4. ....

Les familles avec enfants d'abord !
Families with children first!

- French uses several linking words to join or show the relation between different clauses. Frequently-used linking words include:

  - *et* [e] (and):

    Il est entré dans la librairie et (il) a acheté un livre.
    (He entered the bookshop and (he) bought a book.)

  - *ou* [u] is used to indicate alternatives (or):

    Il arrive ou il part ? **(Is he coming or going?)**

  - *aussi* [osi]:

    Elle joue de la guitare. Moi aussi. **(She plays the guitar. Me too.)**

    Le petit est mignon ; sa sœur aussi. **(The little one is cute; his sister too.)**

    Aussi occupies the same place in a sentence as 'too' in English and is used with disjunctive pronouns *moi, toi, lui/elle, nous, vous, eux/elles.*

    Tu sors ? – Moi aussi, je dois sortir. **(Are you going out? – Me too, I need to go out.)**

- In an ordered list of actions *d'abord, après, ensuite, puis* and *enfin* can be used. *D'abord* is always used at the start of the list and *enfin* at the end. *Après, ensuite* and *puis* can be used in any order within the middle of the list.

  D'abord, on va déjeuner, puis on va faire les courses, après on va chercher les enfants à l'école et, enfin, on rentre à la maison.
  (First we're going to eat, then we're going to go shopping, after... and finally ...)

REMEMBER!

- We don't say: ~~Premier, il faut s'inscrire,~~ but: *En premier, il faut s'inscrire* ou *D'abord, il faut s'inscrire.*

- Don't confuse *puis* (then) with *depuis* (since):

  *J'ai lu, **puis** j'ai regardé la télé. / Il fait beau **depuis** mardi.*

1 Make sentences using the words below and *et* or *ou*.

Exemples : Il m'a salué / il est parti. → ***Il m'a salué et il est parti.***
Tu veux boire de l'eau / tu veux boire du jus de fruit ? → ***Tu veux boire de l'eau ou du jus de fruit ?***

1. Ils rentrent demain / ils rentrent après-demain. → ....
2. Marion joue de la guitare / elle chante très bien. → ....
3. Petit Louis parle / il marche déjà. → ....
4. Vous restez à la maison / vous sortez avec nous ? → ....
5. Ils nous ont invités / nous avons accepté. → ....
6. Pendant les vacances, je lis beaucoup / je me repose. → ....

2 Make sentences using *et*, *ou* and writing the verbs into the present indicative tense.

Exemple : on, regarder / un DVD / un documentaire sur France 3 ?
→ **On regarde un DVD ou un documentaire sur France 3 ?**

1. tu, téléphoner / tu, envoyer un mél / à Mathias ? → ....

2. vous, relire / vous, corriger votre texte → ....

3. y avoir / quinze / seize kilomètres encore → ....

4. comme dessert / vous, prendre / des fruits / un gâteau ? → ....

5. je, finir / ça / je, arriver → ....

6. aujourd'hui / il, faire beau / il, faire chaud → ....

3 Complete with *aussi* and *moi, toi*..., following the suggestions.

Exemple : Je suis fatiguée. – ... (je) → *Je suis fatiguée. –* **Moi aussi.**

1. J'ai froid. .... ? *(vous)*

2. Nous, on est d'accord et .... *(elle)*

3. J'habite 5, rue Le Pelletier.................– ...., mais au 78. *(je)*

4. ...., tu es portugais ? *(tu)*

5. Ils aiment beaucoup l'art moderne. – ...., la peinture surtout. *(nous)*

6. Je vais bien et toi ? – ...., merci. *(je)*

4 Listen and complete.

Monsieur Barbier a une vie très réglée. Le matin tôt, ...
il sort son chien, ... il va à la boulangerie acheter deux
croissants pour son petit-déjeuner. ...., il écoute les
informations à la radio. ...., dans l'après-midi, il fait une
petite promenade dans le parc tout près de chez lui. ....,
le soir, il regarde la télé ou il lit.

5 Put the sentences in the right order and use the following words to express the list of successive actions: *d'abord, après, ensuite, puis, et enfin.*

Tarte aux abricots

.... étalez bien la pâte dans un plat à tarte. →...

.... préparez la pâte avec la farine, le sucre, le beurre en morceaux et une pincée
de sel. →...

.... mélangez pour former une boule de pâte souple et laissez reposer 30 minutes
au frais. →...

.... mettez au four et faites cuire 15 minutes. →...

.... lavez et coupez en deux les abricots et disposez-les sur la pâte. → ...

Tu m'envoies un courriel ?

Will you send me a mail?

Some verbs with an infinitive ending in *-er* modify their spelling.

VERBS ENDING IN *-GER*

● **Manger** *(changer, corriger, déranger, héberger, nager, partager, protéger, ranger, voyager…)* adds an **e** before an ending that starts with **o** or **a** *(-ons, -ais, -ait, -aient)*, so as to retain the [ʒ] sound.

> *Nous mangeons assez tard le soir.*
> *Qu'est-ce que tu mangeais au Japon ?*

VERBS ENDING IN *-CER*

● **Lancer** *(avancer, annoncer, commencer, déplacer, effacer, menacer, renoncer…):* the **c** becomes **ç** before **o** or **a** *(-ons, -ais, -ait, -aient)*, in order to retain the [s] sound.

> *Ce créateur lançait une nouvelle mode tous les ans.*
> *Nous commençons demain à 8h.*

VERBS ENDING IN *-YER*

● **Nettoyer** *(aboyer, employer, noyer, tutoyer, vouvoyer…)* and **appuyer** *(essuyer, s'ennuyer…):* the **y** becomes **i** before silent e *(j'envoie, ils envoient / j'appuie, ils appuient).*

> *On nettoie d'abord devant la maison.*
> *Appuie doucement sur le bouton de gauche.*

 The future of *envoyer* is irregular: *j'enverrai*. *J'enverrai des nouvelles bientôt.*

● **Payer** *(balayer, effrayer, essayer, rayer…)*, two spellings are possible before a silent e: **y** *(je paye, ils payent [pɛj])* or **i** *(je paie, ils paient [pɛ]).*

> *Je paierai demain.*
> *Il paye toujours pour tout le monde.*

Mang-er [mãʒe] present tense		Nettoy-er [nɛtwaje] present tense	
Written	Spoken	Written	Spoken
Je **mang**-e	[mãʒ]	Je **nettoi**-e	[nɛtwa]
Tu mang-es	[mãʒ]	Tu nettoi-es	[nɛtwa]
Il mang-e	[mãʒ]	Il nettoi-e	[nɛtwa]
Nous **mange**-ons	[mãʒɔ̃]	Nous **nettoy**-ons	[nɛtwajɔ̃]
Vous mang-ez	[mãʒe]	Vous nettoy-ez	[nɛtwaje]
Ils mang-ent	[mãʒ]	Ils nettoi-ent	[nɛtwa]

1 Listen and complete the verb forms.

Exemple : Quand j'étais petite, je ne mang… pas de viande.
→ *Quand j'étais petite, je ne **mangeais** pas de viande.*

1. Philippe nag............................. vraiment comme un poisson !

2. Quand on avait presque fini nos provisions, on partag........................... ce qui restait.

3. Maman, nous mang.............................. à quelle heure ?

4. Nous voyag.............................. beaucoup auparavant.

5. Tiens, cinquante euros, là, par terre ! On partag.............................. ?

6. Mang............................. quelque chose ! Il est déjà tard.

2 Write te correct verb form following the instructions in brackets.

Exemple : Charles … à se sentir mieux. (commencer, imparfait) → *Charles **commençait** …*

1. Nous .... demain le cours de yoga. *(commencer, indicatif présent)*

2. .... notre vieille voiture ! *(remplacer, impératif, nous)*

3. Il .... à pleuvoir et nous n'avions pas de parapluie. *(commencer, imparfait)*

4. ....; serrez-vous vers le fond ! *(avancer, impératif, vous)*

5. On .... un appel d'offres pour la construction du stade. *(lancer, indicatif présent)*

6. Avec moi, ce travail .... plus vite que prévu, tu crois ? *(avancer, conditionnel)*

3 Listen and add the missing verbs.

Exemple : Tu m'… ta nouvelle adresse, d'accord ? → *Tu **m'enverras** ta nouvelle adresse, d'accord ?*

1. Bonjour, Jérôme. Moi, c'est Julie. On se .... ?

2. Tous les ans, nous leur .... un carton de vin de Bourgogne.

3. Ce parquet se .... facilement.

4. Son entreprise .... cinquante personnes.

5. Je vais .... mon fils chercher les clés.

6. Marie, vous .... l'argenterie avec ce nouveau produit. Merci.

4 Change the person of the verb and change the rest of the sentence as needed..

Exemple : Nous commencions à être fatigués. (je) → *Je **commençais** à être **fatigué**.*

1. Nous vous enverrons la facture par courrier, Monsieur. *(je)* → ....

2. J'ai commencé à crier fort mais il ne m'a pas entendu. *(nous)* → ....

3. Envoyez-le au diable ! Il est insupportable ! *(tu)* → ....

4. On voyageait toujours avec un groupe d'amis, les mêmes depuis longtemps. *(ils)* → ....

5. Il avancerait plus vite, si la route était meilleure. *(on)* → ....

6. Toi, tu nettoies la voiture, d'accord ? *(vous)* → ....

5 Translate the following sentences into French, using a dictionary if necessary.

1. Robinson swam towards the island which seemed to go further and further away. → ....

2. We always started the day with a hearty breakfast. *(copieux, abondant)* → ....

3. The street is cleaned very early in the morning. → ....

4. We shared a flat in Nantes. → ....

5. Go forward slowly, it's slippery! → ....

6. Pierre-Edmond has always used *vous* to talk to his sister-in-law. → ....

7. We often ate in the local Chinese restaurant. → ....

8. Do you travel a lot at the moment? → ....

These exercises will allow you to test yourself on the first forty grammar sheets covered in this book. Each correct answer is worth one point for a total score out of 100 points.

The test will allow you to see how much of the grammar you have understood, but you should remember that sustained practice of the language is very important.

1 Use the pronoun to match the word in brackets. Don't forget to change the verb.

Exemple : *Ils parlent espagnol et allemand.* (Solène) → **Elle parle** *espagnol et allemand.*

1. Nous rentrons tard. *(les enfants)* → ....
2. J'arrive en voiture. *(Tom et moi)* → ....
3. Il reste encore un jour. *(nos amies)* → ....
4. Tu regardes le paysage ? *(monsieur et madame Lapujade)* → ....
5. Ils parlent toujours des vacances. *(Justine)* → ....
6. Vous parlez de qui ? *(le journaliste)* → ....

2 Add the correct article, as in the example.

Exemple : *Quelle est ... couleur de ses yeux ?* → *Quelle est* **la** *couleur de ses yeux ?*

1. Luc a de la fièvre ; il a .... front très chaud.
2. Sors .... lait du frigo !
3. Magali est .... fille de Lynda.
4. .... printemps est en retard.
5. .... année prochaine, nous allons en Bolivie.
6. J'ai mal au genou, ... douleur est très forte.

3 Change the sentence to match the pronoun in brackets.

Exemples : *Elle veut rentrer tôt.* (je) → **Je veux** *rentrer tôt.*
Je pourrais être à la maison vers 20 h. (nous) → **Nous pourrions** *être à la maison vers 20 h.*

1. Est-ce que tu veux encore du café ? *(vous)* → ....
2. Vous pouvez prendre le métro ou le tram. *(tu)* → ....
3. Elle pourrait demander une augmentation. *(ils)* → ....
4. Vous voudriez bien me passer le sel ? *(tu)* → ....
5. Nous pouvons attendre. *(il)* → ....
6. Nous voulons changer de ville. *(elles)* → ....

4 Make six sentences using the expressions given below.

Exemple : *Tu / fais attention aux voitures, d'accord ?*
→ *Tu fais attention aux voitures, d'accord ?*

1. Qu'est-ce que vous   **a.** font partie d'un groupe musical.
2. Ils   **b.** avons fait la liste des courses.
3. Nous   **c.** fait semblant de dormir.
4. J(e)'   **d.** as fait un gâteau ?
5. Tu   **e.** ai fait vite.
6. Il   **f.** faites dans la vie ?

5 Change the sentences from the singular to the plural as in the example.

Exemple : Le dernier reportage de TF3 sur les progrès technologiques est très bien.
→ **Les derniers reportages de TF3 sur les progrès technologiques sont très bien.**

1. Le journal a augmenté de trente centimes. → ....

2. La discussion entre les deux pays va continuer. → ....

3. Notre ville propose des échanges scolaires avec les pays nordiques. → ....

4. Une rencontre amicale est prévue à la fin septembre. → ....

5. Le premier prix des fruits est assez bas, dans ce supermarché. → ....

6. Le principal responsable a fait une déclaration à la presse. → ....

6 Complete the question with *qui,que, où, d'où, quand, quel* or *comment* depending on the meaning of the sentence.

Exemple : .... vient demain soir ? → **Qui** *vient demain soir ?*

1. .... s'appelle la petite ?

2. .... vient cette carte postale ?

3. .... est votre numéro de téléphone, s'il vous plaît ?

4. .... signifie *cacahouète* ?

5. .... fait le ménage, aujourd'hui ? Toi ou moi ?

6. .... venez-vous nous voir ?

7 Change the sentence according to the word in brackets.

Exemple : Mon frère est arrivé hier soir. (mes amis) → **Mes amis sont arrivés** *hier soir.*

1. Il est surpris de notre visite. *(elle)* → ....

2. J'ai dû aller à la gare changer les billets. *(Fred)* → ....

3. Amélie a trouvé un autre travail. *(je)* → ....

4. Tu as écrit au syndic de l'immeuble ? *(vous)* → ....

5. Myriam a eu une bonne nouvelle ! *(monsieur et madame Suger)* → ....

6. Ils sont restés à Montpellier tout l'été. *(elles)* → ....

8 Put the sentence into the negative.

Exemples : Je sais où il va. → **Je ne sais pas** *où il va.*
J'ai acheté quelque chose pour vous. → **Je n'ai rien acheté** *pour vous.*

1. Le chat a encore faim. → ....

2. Quelqu'un vient te chercher au bureau. → ....

3. Nous avons oublié quelque chose. → ....

4. J'ai sommeil. → ....

5. Ces phrases sont correctes. → ....

6. Il sait nager. → ....

9 Write each calculation in words.

Exemple : 25 + 18 = 43 → *vingt-cinq plus dix-huit égalent quarante-trois.*

1. 31 + 51 = 82 → ....

2. 90 + 6 = 96 → ....

3. 14 + 22 = 36 → ....

4. 72 + 5 = 77 → ....

5. 200 + 41 = 241 → ....

6. 44 + 62 = 106 → ....

10 Advise or propose using *pouvoir* in the conditional tense.

Exemple : Tu / faire des économies. → ***Tu pourrais faire des économies.***

1. On / aller voir Roxana / à Aix → ....

2. Vous / planter des lauriers dans votre jardin → ....

3. Tu / recommencer à jouer de la flûte → ....

4. On / attendre encore un peu → ....

5. Vous / nous dire comment faire → ....

6. Tu / repasser ton examen en septembre → ....

11 Complete with the correct pronoun *je, te, il...*and *moi, toi, lui...*, etc as appropriate.

Exemple : ..., ... n'ai pas envie de sortir. → ***Moi, je*** *n'ai pas envie de sortir.*

1. ...., qu'est-ce que tu fais aujourd'hui ?

2. Vous achetez quelque chose, ... ?

3. ...., ... discutes encore avec lui ?

4. ...., ils ont toujours raison !

5. .... êtes encore là ?

6. ...., ... ai fini pour aujourd'hui.

12 Change the sentence using *on*.

Exemple : Nous sommes pris aujourd'hui. → ***On est pris*** *aujourd'hui.*

1. Nous sommes allés voir Maxence. → ....

2. Ici les commerçants parlent anglais et espagnol. → ....

3. Quelqu'un a laissé un message sur le répondeur. → ....

4. Nous avons presque fini. → ....

5. Pendant l'hiver, les gens allument le chauffage, surtout le soir. → ....

6. Quelqu'un a oublié ce téléphone sur la table. → ....

13 Change the sentence using *falloir/il faut* instead of *devoir/on doit* and vice versa.

Exemple : On doit faire réparer la machine à laver. → ***Il faut*** *faire réparer la machine à laver.*

1. Avant d'entrer, il faut appuyer sur le bouton et pousser. → ....

2. On doit s'arrêter pour mettre de l'essence. → ....

3. Il faut attendre notre tour. → ....

4. Est-ce qu'on doit acheter autre chose ? → ....

5. Il faut noter le numéro de cette voiture ! → ....

6. On doit déjà rentrer, dommage ! → ....

7. Il faut le convaincre. → ....

14 Read and complete the sentences using the information in brackets.

Exemple : (mois, avril), *il y a les vacances de printemps.*
→ **Au mois d'avril,** *il y a les vacances de printemps.*

1. En France, *(septembre),* c'est la rentrée. → ....

2. *(25 mars),* c'est l'anniversaire d'Amélie. → ....

3. *(1995/1998),* le docteur Roussey a séjourné à Paris. → ....

4. On est *(2/05)* et il fait encore froid. → ....

5. Madame Duflot prend son petit-déjeuner *(7h30).* → ....

6. *(été)* les cigales chantent toute la journée. → ....

7. Aujourd'hui, nous sommes *(mardi/mercredi)* ? → ....

15 Insert the adjectives below into the sentence and make sure they agree in gender and number with the noun they qualify.

noir – dernier – ouvert – petit – nos – difficile – rectangulaire – grand

Exemple : Ces nuages annoncent l'orage. → *Ces nuages **noirs** annoncent l'orage.*

1. C'est une place, assez grande. → ....

2. Le coureur entre en ce moment dans le stade avec 30 minutes de retard ! → ....

3. Ne laissez pas les fenêtres ! Il fait froid ! → ....

4. Lui, c'est un spécialiste de thermoluminescence. → ....

5. Lydie a un appartement dans le centre de Lyon. → ....

6. Les enfants de voisins sont un peu bruyants. → ....

7. Ils viennent de prendre une décision. → ....

16 Conjugate the verbs in brackets in the present indicative.

Exemple : : ... (faire mauvais), *je reste à la maison !* → *Il fait mauvais, je reste à la maison !*

1. .... *(être déjà 8h),* je ne suis pas en avance !

2. .... *(pleuvoir)* depuis trois jours désormais.

3. .... *(être midi),* on va au restaurant ?

4. .... *(neiger)* beaucoup dans les Alpes, à cette époque.

5. Nous pouvons nous promener dans le centre, si .... *(faire beau).*

6. .... *(faire parfois chaud)* à Paris, au mois d'août.

7. En hiver, ... *(faire nuit)* à 5h.

These exercises will allow you to test yourself on everything covered in this book. Each correct answer is worth one point for a total score out of 100 points.

The test will allow you to see how much of the grammar you have understood, but you should remember that sustained practice of the language remains very important.

1 Change the sentences from the singular into the plural as in the example.

Exemple : Ce livre ne dit rien d'intéressant. → **Ces livres ne disent rien d'intéressant.**

1. Mon amie va arriver mardi soir. → ....
2. Le journal d'aujourd'hui donne des informations contradictoires. → ....
3. Ce bijou est très beau ! → ....
4. Il est toujours très curieux. → ....
5. Le prix de l'essence a augmenté. → ....
6. Un bateau a eu des problèmes à cause du vent. → ....

2 Replace the pronoun with the word in brackets. Change the verb as necessary.

Exemple : Est-ce que tu as froid ? (vous) → Est-ce que **vous avez froid ?**

1. On a peur de se tromper. *(je)* → ....
2. J'ai faim. Est-ce qu'il y a quelque chose au frigo ? *(nous)* → ....
3. Tu as besoin d'aide ? *(vous)* → ....
4. Il a eu raison d'insister. *(elle)* → ....
5. Vous auriez peut-être envie de vous reposer. *(tu)* → ....
6. Ils ont sommeil ; ils sont très fatigués. *(elles)* → ....

3 Put the words in italics into the singular or the plural and change the rest of the sentence as necessary.

Exemple : Vos idées *sont claires, monsieur.* → **Votre idée est claire,** *monsieur.*

1. *Mon collègue* habite en banlieue. → ....
2. *Tes valises* sont bien celles-là ? → ....
3. *Leurs frères* ont travaillé au Brésil. → ....
4. *Ton cadeau* de Noël était superbe, cette année ! → ....
5. *Notre avis* n'intéresse personne, malheureusement. → ....
6. *Son copain* est parti en Australie, elle se sent seule. → ....

4 Change the following sentences from the present indicative to the imperative.

Exemple : Tu ne fais pas ça, d'accord ? → **Ne fais pas ça,** *d'accord ?*

1. Vous croyez ce qu'il dit. → ....
2. Tu rentres en taxi ce soir. → ....
3. Vous apprenez ce poème par cœur pour demain. → ....
4. Tu ne finis pas ton travail. Il est tard. → ....
5. Vous roulez doucement sur l'autoroute. → ....
6. Tu ne restes pas sans rien faire ! → ....

5 Complete the sentences with the impersonal verbs indicated in brackets.

Exemple : Demain, (faire beau) → Demain, ***il fera/va faire beau.***

1. Moi, j'habite dans les Alpes et *(neiger)* souvent dans mon village. → ....
2. Ce matin-là, *(faire doux)* : c'était agréable ! → ....
3. On ne peut pas téléphoner à tonton : *(être 10h)* déjà ! → ....
4. *(être 12h)* ou *(12h30)* ? → ....
5. Mets ton manteau, *(faire froid).* → ....
6. Dis, quel temps il a fait à Bordeaux pendant les fêtes ? *(faire mauvais)* ? → ....

6 Choose the correct adjective from the list below and put it in the right place in the sentence.
Make sure it agrees with the noun (gender, number).

Exemple : Nous avons visité un site de ruines. → Nous avons visité un site de ruines **romaines.**

romain – carré – présidentiel – joli – long – rouge – excellent

1. C'est un vase. → ....
2. Ils ont eu une idée. → ....
3. La voiture était noire. → ....
4. Tu as une robe. → ....
5. C'était une maison en briques. → ....
6. C'est la journée la plus de l'année. → ....

7 Change the subject and modify the rest of the sentence if necessary.

Exemple : Elle est venue pour prendre de nos nouvelles. (ils)
→ ***Ils sont venus*** pour prendre de nos nouvelles.

1. Mathieu est tombé et il a beaucoup pleuré. *(Mélanie)* → ....
2. Je suis entré dans cette boutique l'autre jour. *(nous)* → ....
3. Tu es né dans quelle ville ? *(Léonie)* → ....
4. Est-ce que vous êtes allés au marché hier ? *(Lucas et Samantha)* → ....
5. Il est revenu quand d'Irlande ? *(elle)* → ....
6. Nous sommes montés en haut de la Tour Eiffel à pied. *(je)* → ....

8 Put the suggested pronoun in the correct place in the sentence.

Exemple : J'ai répondu par mèl. (ils) → ***Je leur ai répondu par mèl.***

1. Je demande l'addition ? *(il)* → ....
2 Qu'est-ce que vous avez dit ? *(ils)* → ....
3 On explique comment ça marche. *(me)* → ....
4 Tu as parlé ? *(elle)* → ....
5 Vous pouvez expliquer cette règle, monsieur ? *(je)* → ....
6 Est-ce que tu envoies les photos ? *(elles)* → ....

9 Answer the questions using the adverbs *beaucoup* (++), *trop* (+++) or *peu* (-) to express intensity.

Exemple : Tu as vu des films dernièrement ? (++) → **Oui, oui, j'ai vu beaucoup de films.**

1. Est-ce qu'il est fatigué ? (+++) → ....

2. Est-ce qu'il mange bien, le petit ? (++) → ....

3. Y avait-il du monde à la réunion ? (-) → ....

4. Combien de plantes vous avez dans votre jardin ? (++) → ....

5. Est-ce qu'il y a du bruit dans cet immeuble ? (-) → ....

6. Est-ce qu'il fait chaud à Sydney, aujourd'hui ? (+++) → ....

10 Express intensity by using a comparative (p.= plus ; m.= moins ; a. = aussi). Put the sentences into the *imparfait*.

Exemple : Léo / être / attentif / d'habitude (a.) → **Léo était aussi attentif que d'habitude.**

1. Il / faire / froid / hiver précédent *(p.)* → ....

2. Ces gens / être / sympathique / nos amis *(m.)* → ....

3. Son père / être / optimiste / lui *(a.)* → ....

4. Elle / être / charmante / toutes ses collègues *(p.)* → ....

5. Ses textes / être / difficile / les autres *(a.)* → ....

6. Sa lettre / être / long / celle d'avant *(m.)* → ....

11 Complete the sentences with the verb in brackets. Use the present indicative tense.

Exemple : Nous ... un médecin, tout de suite. (appeler) → **Nous appelons** un médecin, tout de suite.

1. Émilien .... tous ses vieux meubles. *(jeter)*

2. Qu'est-ce que tu .... ? *(feuilleter)*

3. Vous .... votre nom, s'il vous plaît ? *(épeler)*

4. Ils .... leur garde-robe tous les ans. *(renouveler)*

5. On .... demain, en fin d'après-midi ? *(s'appeler)*

6. Le jus de fruit est fini ; j'en .... ? *(racheter)*

12 Change the sentences in the same way as the example.

Exemple : Ils tiennent de leur mère. (elle) → **Elle tient de sa mère.**

1. On s'intéresse beaucoup à l'environnement. *(ils)* → ....

2. Il a pensé à tout ! *(tu)* → ....

3. Il a décidé de ne pas prendre sa retraite. *(elle)* → ....

4. On l'a empêché de faire des bêtises. *(je)* → ....

5. Tu lui as dit de passer plus tard ? *(vous)* → ....

6. Nous avons accepté de reporter notre rendez-vous. *(il)* → ....

13 Complete the sentences with *c'est, il est, elle est*, as in the example.

Exemple : Monsieur Lagrange habite à côté de nous, ... médecin.
→ Monsieur Lagrange habite à côté de nous, **il est** médecin.

1. Samantha est caissière chez Leclerc. .... une caissière très attentive.
2. Marcus est suédois, de Malmö, mais .... un Suédois qui aime la Méditerranée.
3. Amina est toujours très occupée : .... mère de cinq enfants !
4. Tu connais monsieur Lebranchu ? .... informaticien.
5. Je ne sais pas ce que fait Loïc, le fils des Pavie ; .... peut-être encore étudiant.
6. Pablo, est-ce que .... argentin ou mexicain ?
7. Son frère est journaliste ; .... reporter à *Paris Match*.

14 Replace the words in italics, using the correct preposition.

Exemple : Je suis allée aux États-Unis l'année dernière. (Australie s.f.)
→ Je suis allée **en Australie** l'année dernière.

1. Il a habité *au Chili* pendant trois ans. *(Mexique s.m.)* → ....
2. Nous n'irons pas *en Birmanie* comme prévu. *(Pérou s.m.)* → ....
3. J'ai des amis *en Finlande*. *(Irlande s.f.)* → ....
4. On est resté *aux Philippines* deux semaines. *(Baléares f.pl.)* → ....
5. Est-ce que tu es allé *à Cuba* ? *(Guatemala s.m.)* → ....
6. Son entreprise délocalise *en Roumanie*. *(Bangladesh s.m.)* → ....
7. Mon grand-père a travaillé *en Hongrie*. *(Autriche s.f.)* → ....

15 Write the correct verb form following the instructions in brackets.

Exemple : Il ... à faire nuit. (commencer, imparfait) → Il **commençait** à faire nuit.

1. Nous ne .... pas d'avis si vite. *(changer, ind. présent)*
2. Ne .... pas froid ! Faites réchauffer vos plats au micro-ondes ! *(manger, impératif, vous)*
3. Il .... à neiger et nous nous hâtions de rentrer. *(commencer, imparfait)*
4. .... doucement parce qu'on ne voit pas très bien. *(avancer, ind. présent, nous)*
5. Le petit Louis .... son biberon par la fenêtre ! *(lancer, passé composé)*
6. Et si nous .... à parler de choses sérieuses ? *(commencer, imparfait)*
7. Ils se connaissent depuis longtemps, mais ils .... encore. *(se vouvoyer, ind. présent)*

16 Express cause or consequence in a different way.

Exemples : Annaïk n'est pas là **à cause de la grève**. → Annaïk n'est pas là **car il y a la grève**.
On s'est levé trop tard, **on n'a pas pu saluer Jules**. → On s'est levé trop tard **pour pouvoir saluer Jules**.

1. Florian ne m'a pas salué, car il ne m'a pas reconnu. → ....
2. Avec tous ces travaux, notre bus a du retard. → ....
3. J'étais fatigué, donc je me suis arrêté. → ....
4. L'eau manque à cause de la sécheresse. → ....
5. La musique était très forte et je n'ai pas pu dormir. → ....
6. L'adresse était incorrecte, la lettre n'est jamais arrivée. → ....
7. Grâce au beau temps, les touristes reviennent. → ....

- These conjugation tables include all tenses expected to be known at levels A1 and A2. The written forms are shown below as the spellings may be complex, but the pronunciation is typically simpler and easier to memorise orally.

- We recommend using the mnemotic process for learning the conjugations. For each verb this involves memorising particular forms of the verb. For example, if studying *finir* (to finish) you would memorise: *finir* (**infinitif**), *finissant* (**participe présent**), *fini* (**participe passé**), *je finis* (**première personne indicatif présent**) and *je finis* (**première personne passé simple**). From these forms you can work out the remaining forms.

Finir	Finiss-ant	Fini	Je finis (présent)	Je finis (passé simple)
• Futur • Conditionnel	• Imparfait • Présent indicatif pluriel • Subjonctif présent	• Temps composés	• Présent indicatif singulier	• Passé simple • Subjonctif imparfait

- P. Le Goffic (1997: *Les formes conjuguées du verbe français,* Paris, Ophrys, p. 30-31) suggests another sequence of forms to memorise:

> *Venir, je viens, nous venons, ils viennent, je viendrai, je suis venu, il vint.*
> *Boire, je bois, nous buvons, ils boivent, je boirai, j'ai bu, il but.*

This sequence also allows the other conjugated forms to be deduced.

The verbs which use the auxiliary *être* to form some of their conjugations are often called 'verbs of movement'; important verbs which use être include:

> *aller, venir, arriver, partir, naître, mourir, entrer, sortir, rester, tomber...*

ALPHABETICAL INDEX OF VERBS

1. AVOIR auxiliaire *avoir*

Participe présent/passé	Indicatif présent	Indicatif imparfait	Indicatif futur	Conditionnel présent	Impératif présent
ayant eu	j'ai tu as il a nous avons vous avez ils ont	j'avais tu avais il avait nous avions vous aviez ils avaient	j'aurai tu auras il aura nous aurons vous aurez ils auront	j'aurais tu aurais il aurait nous aurions vous auriez ils auraient	aie ayons ayez

2. ÊTRE auxiliaire *avoir*

Participe présent/passé	Indicatif présent	Indicatif imparfait	Indicatif futur	Conditionnel présent	Impératif présent
étant été	je suis tu es il est nous sommes vous êtes ils sont	j'étais tu étais il était nous étions vous étiez ils étaient	je serai tu seras il sera nous serons vous serez ils seront	je serais tu serais il serait nous serions vous seriez ils seraient	sois soyons soyez

3. VERBES EN *-ER*, modèle général
PARLER auxiliaire *avoir*

Participe présent/passé	Indicatif présent	Indicatif imparfait	Indicatif futur	Conditionnel présent	Impératif présent
parlant parlé	je parle tu parles il parle nous parlons vous parlez ils parlent	je parlais tu parlais il parlait nous parlions vous parliez ils parlaient	je parlerai tu parleras il parlera nous parlerons vous parlerez ils parleront	je parlerais tu parlerais il parlerait nous parlerions vous parleriez ils parleraient	parles parlons parlez

4. VERBES EN *-ER*, cas particulier
APPELER auxiliaire *avoir*

Participe présent/passé	Indicatif présent	Indicatif imparfait	Indicatif futur	Conditionnel présent	Impératif présent
appelant appelé	j'appelle tu appelles il appelle nous appelons vous appelez ils appellent	j'appelais tu appelais il appelait nous appelions vous appeliez ils appelaient	j'appellerai tu appelleras il appellera nous appellerons vous appellerez ils appelleront	j'appellerais tu appellerais il appellerait nous appellerions vous appelleriez ils appelleraient	appelle appelons appelez

5. VERBES EN -ER, cas particulier
ACHETER auxiliaire avoir

Participe présent/passé	Indicatif présent	Indicatif imparfait	Indicatif futur	Conditionnel présent	Impératif présent
achetant acheté	j'achète tu achètes il achète nous achetons vous achetez ils achètent	j'achetais tu achetais il achetait nous achetions vous achetiez ils achetaient	j'achèterai tu achèteras il achètera nous achèterons vous achèterez ils achèteront	j'achèterais tu achèterais il achèterait nous achèterions vous achèteriez ils achèteraient	achète achetons achetez

6. VERBES EN -ER, cas particulier
ESPÉRER auxiliaire avoir

Participe présent/passé	Indicatif présent	Indicatif imparfait	Indicatif futur	Conditionnel présent	Impératif présent
espérant espéré	j'espère tu espères il espère nous espérons vous espérez ils espèrent	j'espérais tu espérais il espérait nous espérions vous espériez ils espéraient	j'espérerai tu espéreras il espérera nous espérerons vous espérerez ils espéreront	j'espérerais tu espérerais il espérerait nous espérerions vous espéreriez ils espéreraient	espère espérons espérez

7. VERBES EN -ER, cas particulier
EMPLOYER auxiliaire avoir

Participe présent/passé	Indicatif présent	Indicatif imparfait	Indicatif futur	Conditionnel présent	Impératif présent
employant employé	j'emploie tu emploies il emploie nous employons vous employez ils emploient	j'employais tu employais il employait nous employions vous employiez ils employaient	j'emploierai tu emploieras il emploiera nous emploierons vous emploierez ils emploieront	j'emploierais tu emploierais il emploierait nous emploierions vous emploieriez ils emploieraient	emploie employons employez

8. VERBES EN -ER, cas particulier
COMMENCER auxiliaire avoir

Participe présent/passé	Indicatif présent	Indicatif imparfait	Indicatif futur	Conditionnel présent	Impératif présent
commençant commencé	je commence tu commences il commence nous commençons vous commencez ils commencent	je commençais tu commençais il commençait nous commencions vous commenciez ils commençaient	je commencerai tu commenceras il commencera nous commencerons vous commencerez ils commenceront	je commencerais tu commencerais il commencerait nous commencerions vous commenceriez ils commenceraient	commence commençons commencez

9. VERBES EN -ER, cas particulier — MANGER auxiliaire avoir

Participe présent/passé	Indicatif présent	Indicatif imparfait	Indicatif futur	Conditionnel présent	Impératif présent
mangeant mangé	je mange tu manges il mange nous mangeons vous mangez ils mangent	je mangeais tu mangeais il mangeait nous mangions vous mangiez ils mangeaient	je mangerai tu mangeras il mangera nous mangerons vous mangerez ils mangeront	je mangerais tu mangerais il mangerait nous mangerions vous mangeriez ils mangeraient	mange mangeons mangez

10. VERBES EN -ER, cas particulier — ENVOYER auxiliaire avoir

Participe présent/passé	Indicatif présent	Indicatif imparfait	Indicatif futur	Conditionnel présent	Impératif présent
envoyant envoyé	j'envoie tu envoies il envoie nous envoyons vous envoyez ils envoient	j'envoyais tu envoyais il envoyait nous envoyions vous envoyiez ils envoyaient	j'enverrai tu enverras il enverra nous enverrons vous enverrez ils enverront	j'enverrais tu enverrais il enverrait nous enverrions vous enverriez ils enverraient	envoie envoyons envoyez

11. VERBES EN -IR, modèle — FINIR auxiliaire avoir

Participe présent/passé	Indicatif présent	Indicatif imparfait	Indicatif futur	Conditionnel présent	Impératif présent
finissant fini	je finis tu finis il finit nous finissons vous finissez ils finissent	je finissais tu finissais il finissait nous finissions vous finissiez ils finissaient	je finirai tu finiras il finira nous finirons vous finirez ils finiront	je finirais tu finirais il finirait nous finirions vous finiriez ils finiraient	finis finissons finissez

12. VERBES EN -IR, modèle — PARTIR auxiliaire être

Participe présent/passé	Indicatif présent	Indicatif imparfait	Indicatif futur	Conditionnel présent	Impératif présent
partant parti	je pars tu pars il part nous partons vous partez ils partent	je partais tu partais il partait nous partions vous partiez ils partaient	je partirai tu partiras il partira nous partirons vous partirez ils partiront	je partirais tu partirais il partirait nous partirions vous partiriez ils partiraient	pars partons partez

13. VERBES EN -IR, modèle OUVRIR auxiliaire *avoir*					
Participe présent/passé	**Indicatif présent**	**Indicatif imparfait**	**Indicatif futur**	**Conditionnel présent**	**Impératif présent**
ouvrant ouvert	j'ouvre tu ouvres il ouvre nous ouvrons vous ouvrez ils ouvrent	j'ouvrais tu ouvrais il ouvrait nous ouvrions vous ouvriez ils ouvraient	j'ouvrirai tu ouvriras il ouvrira nous ouvrirons vous ouvrirez ils ouvriront	j'ouvrirais tu ouvrirais il ouvrirait nous ouvririons vous ouvririez ils ouvriraient	ouvre ouvrons ouvrez

AUTRES VERBES

14. ALLER auxiliaire *être*					
Participe présent/passé	**Indicatif présent**	**Indicatif imparfait**	**Indicatif futur**	**Conditionnel présent**	**Impératif présent**
allant allé	je vais tu vas il va nous allons vous allez ils vont	j'allais tu allais il allait nous allions vous alliez ils allaient	j'irai tu iras il ira nous irons vous irez ils iront	j'irais tu irais il irait nous irions vous iriez ils iraient	va allons allez

15. VENIR auxiliaire *être*					
Participe présent/passé	**Indicatif présent**	**Indicatif imparfait**	**Indicatif futur**	**Conditionnel présent**	**Impératif présent**
venant venu	je viens tu viens il vient nous venons vous venez ils viennent	je venais tu venais il venait nous venions vous veniez ils venaient	je viendrai tu viendras il viendra nous viendrons vous viendrez ils viendront	je viendrais tu viendrais il viendrait nous viendrions vous viendriez ils viendraient	viens venons venez

16. RECEVOIR auxiliaire *avoir*					
Participe présent/passé	**Indicatif présent**	**Indicatif imparfait**	**Indicatif futur**	**Conditionnel présent**	**Impératif présent**
recevant reçu	je reçois tu reçois il reçoit nous recevons vous recevez ils reçoivent	je recevais tu recevais il recevait nous recevions vous receviez ils recevaient	je recevrai tu recevras il recevra nous recevrons vous recevrez ils recevront	je recevrais tu recevrais il recevrait nous recevrions vous recevriez ils recevraient	reçois recevons recevez

17. POUVOIR auxiliaire *avoir*

Participe présent/passé	Indicatif présent	Indicatif imparfait	Indicatif futur	Conditionnel présent	Impératif présent
pouvant pu	je peux tu peux il peut nous pouvons vous pouvez ils peuvent	je pouvais tu pouvais il pouvait nous pouvions vous pouviez ils peuvaient	je pourrai tu pourras il pourra nous pourrons vous pourrez ils pourront	je pourrais tu pourrais il pourrait nous pourrions vous pourriez ils pourraient	*pas d'impératif*

18. VOULOIR auxiliaire *avoir*

Participe présent/passé	Indicatif présent	Indicatif imparfait	Indicatif futur	Conditionnel présent	Impératif présent
voulant voulu	je veux tu veux il veut nous voulons vous voulez ils veulent	je voulais tu voulais il voulait nous voulions vous vouliez ils voulaient	je voudrai tu voudras il voudra nous voudrons vous voudrez ils voudront	je voudrais tu voudrais il voudrait nous voudrions vous voudriez ils voudraient	veuillez

19. DEVOIR auxiliaire *avoir*

Participe présent/passé	Indicatif présent	Indicatif imparfait	Indicatif futur	Conditionnel présent	Impératif présent
devant dû	je dois tu dois il doit nous devons vous devez ils doivent	je devais tu devais il devait nous devions vous deviez ils devaient	je devrai tu devras il devra nous devrons vous devrez ils devront	je devrais tu devrais il devrait nous devrions vous devriez ils devraient	dois devons devez

20. SAVOIR auxiliaire *avoir*

Participe présent/passé	Indicatif présent	Indicatif imparfait	Indicatif futur	Conditionnel présent	Impératif présent
sachant su	je sais tu sais il sait nous savons vous savez ils savent	je savais tu savais il savait nous savions vous saviez ils savaient	je saurai tu sauras il saura nous saurons vous saurez ils sauront	je saurais tu saurais il saurait nous saurions vous sauriez ils sauraient	sache sachons sachez

21. VOIR auxiliaire *avoir*

Participe présent/passé	Indicatif présent	Indicatif imparfait	Indicatif futur	Conditionnel présent	Impératif présent
voyant vu	je vois tu vois il voit nous voyons vous voyez ils voient	je voyais tu voyais il voyait nous voyions vous voyiez ils voient	je verrai tu verras il verra nous verrons vous verrez ils verront	je verrais tu verrais il verrait nous verrions vous verriez ils verraient	vois voyons voyez

22. METTRE auxiliaire *avoir*

Participe présent/passé	Indicatif présent	Indicatif imparfait	Indicatif futur	Conditionnel présent	Impératif présent
mettant mis	je mets tu mets il met nous mettons vous mettez ils mettent	je mettais tu mettais il mettait nous mettions vous mettiez ils mettaient	je mettrai tu mettras il mettra nous mettrons vous mettrez ils mettront	je mettrais tu mettrais il mettrait nous mettrions vous mettriez ils mettraient	mets mettons mettez

23. PRENDRE auxiliaire *avoir*

Participe présent/passé	Indicatif présent	Indicatif imparfait	Indicatif futur	Conditionnel présent	Impératif présent
prenant pris	je prends tu prends il prend nous prenons vous prenez ils prennent	je prenais tu prenais il prenait nous prenions vous preniez ils prenaient	je prendrai tu prendras il prendra nous prendrons vous prendrez ils prendront	je prendrais tu prendrais il prendrait nous prendrions vous prendriez ils prendraient	prends prenons prenez

24. VENDRE auxiliaire *avoir*

Participe présent/passé	Indicatif présent	Indicatif imparfait	Indicatif futur	Conditionnel présent	Impératif présent
vendant vendu	je vends tu vends il vend nous vendons vous vendez ils vendent	je vendais tu vendais il vendait nous vendions vous vendiez ils vendaient	je vendrai tu vendras il vendra nous vendrons vous vendrez ils vendront	je vendrais tu vendrais il vendrait nous vendrions vous vendriez ils vendraient	vends vendons vendez

25. FAIRE auxiliaire *avoir*					
Participe présent/passé	Indicatif présent	Indicatif imparfait	Indicatif futur	Conditionnel présent	Impératif présent
faisant fait	je fais tu fais il fait nous faisons vous faisez ils font	je faisais tu faisais il faisait nous faisions vous faisiez ils faisaient	je ferai tu feras il fera nous ferons vous ferez ils feront	je ferais tu ferais il ferait nous ferions vous feriez ils feraient	fais faisons faites

26. DIRE auxiliaire *avoir*					
Participe présent/passé	Indicatif présent	Indicatif imparfait	Indicatif futur	Conditionnel présent	Impératif présent
disant dit	je dis tu dis il dit nous disons vous dites ils disent	je disais tu disais il disait nous disions vous disiez ils disaient	je dirai tu diras il dira nous dirons vous direz ils diront	je dirais tu dirais il dirait nous dirions vous diriez ils diraient	dis disons dites

27. CONNAÎTRE auxiliaire *avoir*					
Participe présent/passé	Indicatif présent	Indicatif imparfait	Indicatif futur	Conditionnel présent	Impératif présent
connaissant connu	je connais tu connais il connait nous connaissons vous connaissez ils connaissent	je connaissais tu connaissais il connaissait nous connaissions vous connaissiez ils connaissaient	je connaîtrai tu connaîtras il connaîtra nous connaîtrons vous connaîtrez ils connaîtront	je connaîtrais tu connaîtrais il connaîtrait nous connaîtrions vous connaîtriez ils connaîtraient	connais connaissons connaissez

28. BOIRE auxiliaire *avoir*					
Participe présent/passé	Indicatif présent	Indicatif imparfait	Indicatif futur	Conditionnel présent	Impératif présent
buvant bu	je bois tu bois il boit nous buvons vous buvez ils boivent	je buvais tu buvais il buvait nous buvions vous buviez ils buvaient	je boirai tu boiras il boira nous boirons vous boirez ils boiront	je boirais tu boirais il boirait nous boirions vous boiriez ils boiraient	bois buvons buvez

29. CROIRE auxiliaire *avoir*					
Participe présent/passé	**Indicatif présent**	**Indicatif imparfait**	**Indicatif futur**	**Conditionnel présent**	**Impératif présent**
croyant cru	je crois tu crois il croit nous croyons vous croyez ils croivent	je croyais tu croyais il croyait nous croyions vous croyiez ils croyaient	je croirai tu croiras il croira nous croirons vous croirez ils croiront	je croirais tu croirais il croirait nous croirions vous croiriez ils croiraient	crois croyons croyez

30. ÉCRIRE auxiliaire *avoir*					
Participe présent/passé	**Indicatif présent**	**Indicatif imparfait**	**Indicatif futur**	**Conditionnel présent**	**Impératif présent**
écrivant écrit	j'écris tu écris il écrit nous écrivons vous écrivez ils écrivent	j'écrivais tu écrivais il écrivait nous écrivions vous écriviez ils écrivaient	j'écrirai tu écriras il écrira nous écrirons vous écrirez ils écriront	j'écrirais tu écrirais il écrirait nous écririons vous écririez ils écriraient	écris écrivons écrivez

Below is a list of grammatical terms used in this book.

ATTRIBUT

* Word that gives information about a subject or an object via the verb. Used with verbs such as *être, paraître, sembler, devenir* or *croire, penser, trouver* etc. For example: *Paul semble <u>sincère</u>.* (Paul seems <u>sincere</u>.) or *Je trouve ce pull assez <u>beau</u>.* (I think this jumper's quite <u>pretty</u>.) Generally gives information on the state, appearance or quality of the word to which it refers.

CATÉGORIE

* Group of words with the same properties, for example nouns, verbs or adjectives.

COMPLÉMENT CIRCONSTANCIEL

* Word or group of words giving information about place, time, etc, that follow the subject or object directly or after a preposition. They are not dependant on a verb; for example: *<u>À Lille</u>, on mange bien.* (<u>In Lille</u>) or *Il faisait chaud <u>cet été</u>.* (<u>this summer</u>). However, in the phrase *Je vais <u>à Reims</u>* the words *à Reims* are dependant on the verb *aller.*

COMPLÉMENT D'OBJET DIRECT

* See *complément du verbe.*

COMPLÉMENT D'OBJET INDIRECT

* See *complément du verbe.*

COMPLÉMENT DU VERBE (fonction)

* Word or group of words placed after the verb that is an essential part of the meaning of the verb.
* The *compléments d'objet direct* follow the verb directly and often have the meaning of what the verb relates to: *Je perds mon <u>temps</u>.* (I'm wasting my <u>time</u>.)
* The *compléments d'objet indirect* are preceded by a preposition *(à, de...)* and often have a meaning related to the beneficiary or destination of the action of the verb: *On s'occupe <u>de votre commande</u>.* (We are looking after <u>your order</u>.)

ÉNONCÉ

* Any spoken material: *Bonjour ! D'accord ! Pourquoi pas ? Je ne sais pas.*

FONCTION (on a word)

* The role that a word plays in a sentence for example, the subject or the complement.

PHRASE

- *Énoncé* including a conjugated verb:

    Il arrive ce soir. **(He's coming this evening.)** / *La nuit tombe vite.* **(Night falls fast.)**

PRONOM PERSONNEL

- Relates to a person (*je, tu, il, elle,* etc.) or replaces a noun. For example:

    Le dîner est prêt. Il semble délicieux. **(Dinner is ready. It seems delicious.)**

SUJET (function)

- The subject of the verb is generally who or what is doing the action of the verb. The subject also modifies the verb's person, number and gender. It is most often a noun, a pronoun or an infinitive.

    Les élèves sont attentifs. **(The pupils are attentive.)**

    Elle est arrivée en retard. **(She arrived late.)**

    Partir maintenant m'ennuie. **(To leave now is annoying.)**

TEMPS COMPOSÉ

- Tense formed with an auxiliary verb (most frequently *avoir* or *être*) and a past participle. For example:

    J'ai oublié mon sac. **(verb *oublier*)**

- Compare with *temps simple*.

[a]	ami, lac, patte	[p]	père, soupe
[e]	année, aller, chez	[b]	bateau, robe
[ɛ]	sec, poète, tête, peine, lait	[d]	danse, aide
[i]	il, ville, île	[t]	train, vite
[ɔ]	note, robe, Paul	[k]	carte, quatre, kilo
[o]	mot, dôme, aube, eau	[g]	gare, bague
[u]	genou, pour, goût	[f]	feu, photo
[y]	rue, usage	[v]	voir, wagon, rêve
[œ]	meuble, sœur	[s]	savant, science, cela, garçon, action
[ø]	peu, deux	[z]	maison, réseau, zéro
[ə]	me, premier	[ʒ]	jeu, âge
[ɛ̃]	lin, bain, parfum	[ʃ]	chanson, tâche, schéma
[ã]	champ, entrée	[l]	lent, sol, intelligence
[ɔ̃]	mon, poisson	[R]	rue, venir
[j]	yeux, lieu, paille	[m]	grammaire, mettre
[ɥ]	lui, nuit, suivre	[n]	neuf, dictionnaire
[w]	oui, ouest, moi		